D1201241

DU MÊME AUTEUR

Aux Éditions Gallimard

DES FILLES BIEN ÉLEVÉES, 1987.

MON BEAU NAVIRE, 1989 (Folio n° 2292).

MARIMÉ, 1991 (Folio n° 2514).

CANINES, 1993. Prix Goncourt des lycéens 1993 (Folio n° 2761).

HYMNES À L'AMOUR, 1996 (Folio n° 3036).

UNE POIGNÉE DE GENS, 1998. Grand Prix du roman de l'Académie française 1998 (Folio n° 3358).

AUX QUATRE COINS DU MONDE, 2001 (Folio n° 3770).

SEPT GARÇONS, 2002 (Folio n° 3981).

JE M'APPELLE ÉLISABETH, 2004 (Folio n° 4270).

JEUNE FILLE, 2007 (Folio n° 4722).

L'ÎLE. Nouvelle extraite du recueil DES FILLES BIEN ÉLEVÉES, coll. Folio 2 € n° 4674, 2008.

MON ENFANT DE BERLIN, 2009 (Folio n° 5197 et Classico Collège n° 98, coédition Éditions Gallimard – Éditions Belin).

UNE ANNÉE STUDIEUSE, 2012 (Folio n° 5680).

PHOTOGRAPHIES, 2012.

Chez d'autres éditeurs

ALBUM DE FAMILLE, Éditions du May, 1992.

VENISE (avec les photographies de Jean Noël de Soye), Éditions du Chêne, 2001.

SALES CHATS (avec les illustrations de Nicolas Vial), Éditions de La Martinière, 2007.

NOS MAISONS DE FAMILLE (avec les photographies de Pascaline Marre), Éditions de La Martinière, 2012.

UN AN APRÈS

ANNE WIAZEMSKY

UN AN APRÈS

roman

GALLIMARD

À Marie-Laure de Crozefon

Nous venions d'emménager dans un appartement quelques semaines auparavant, au 17 de la rue Saint-Jacques, dans le Ve arrondissement. Depuis mon adolescence, je rêvais d'habiter le Quartier latin et il m'avait semblé idéalement situé, près de la Sorbonne, du boulevard Saint-Michel et de la Seine. Jean-Luc n'attachait guère d'importance à l'endroit où nous vivions, l'appartement du 15, rue de Miromesnil qu'il louait et qui avait servi de décor pour *La Chinoise* lui convenait, mais pourquoi pas un autre ? Quand j'avais ajouté : « Et puis, j'en ai marre de la proximité avec la place Beauvau, marre de l'Élysée et de tous ces flics », il avait répondu en prenant l'accent suisse : « Dans ce cas... »

Le 17 de la rue Saint-Jacques se trouvait exactement en face de l'église Saint-Séverin et nous avions acheté le dernier étage avec une vue merveilleuse sur les jardins et sur l'ensemble du quartier. Cette proximité avec l'église avait enchanté mon grand-père, François Mauriac : « Épatant, si tu éprouves la plus petite tentation de retrouver la Foi, tu n'auras qu'à traverser la rue... Même pas le temps de changer d'avis ou de remettre à plus tard. » Il suivait de loin mes pérégrinations par des articles dans la presse ou par ce qu'on lui en rapportait, et cela l'amusait. Que je ne vienne pas le voir souvent ne le chagrinait pas et il m'accueillait avec bienveillance, sans me faire de reproches. Le reste de ma famille, à l'inverse, ne manquait jamais de me rappeler ce qu'ils nommaient mon « ingratitude ». Il est vrai que j'avais bondi dans une nouvelle vie dont ils étaient exclus, sans aucun état d'âme, avec un grand soulagement : une vraie petite brute, disaient-ils. Ils n'avaient pas tort.

Ce jour-là, je sortais d'une des dernières projections de presse du film de Michel Cournot *Les Gauloises bleues.* Il avait été sélectionné pour représenter la France au festival de Cannes et nous étions tous fous de joie. J'espérais que le film obtiendrait la Palme d'or et j'avais essayé d'en convaincre Michel, très inquiet, qui ne savait sincèrement pas si c'était une bonne ou une mauvaise nouvelle. J'étais appuyée par nos amis, Rosier et Bambam, qui parlaient déjà de l'accompagner à Cannes, en bons groupies que nous étions tous les trois.

Rosier et Bambam avaient fait une entrée fracassante dans ma vie et celle de Jean-Luc à la fin de l'été 1967. C'étaient les meilleurs amis de Michel qui passait les voir quasiment tous les jours et qui nous quittait souvent sur cette phrase mystérieuse : « Je vais chez Rosierbambam. »

Il s'agissait d'un couple. Elle, Michèle Rosier, était une des trois grandes stylistes de l'époque et lui, Jean-Pierre Bamberger, le directeur d'une usine de textile dans le Nord. Ensemble, ils avaient créé la marque de vêtements V de V qui avait tout de suite connu un grand succès. On disait que V de V avait « révolutionné la mode du ski ». J'avais envie de les connaître. Un déjeuner fut organisé dans leur très bel appartement du 20, rue de Tournon. Le soir de cette première rencontre nous reçûmes, Jean-Luc et moi, un télégramme de Rosier qui disait simplement : « Aïe, vous me manquez déjà ! » C'était réciproque. Nous prîmes l'habitude de nous voir très souvent, pour aller au cinéma, pour dîner, la plupart du temps à la Brasserie Balzar à mi-distance de nos deux appartements.

Mais nous n'avions pas été souvent à Paris, Jean-Luc et moi, depuis l'automne 1967. Il y avait eu de fréquents séjours aux États-Unis pour présenter *La Chinoise* dans des facultés américaines, présentations toujours suivies de longs débats avec les étudiants qui, très vite, m'ennuyèrent. Jean-Luc, lui, aimait ces échanges et se passionnait de plus en plus pour la politique et l'envie de changer le monde de ces jeunes gens ; les marches de protestation contre la guerre au Vietnam, le Black Power. À Paris, il fréquentait des étudiants de tendance maoïste, que je n'avais aucune envie de connaître. Il n'allait plus aussi souvent au cinéma, considérant que dans ce domaine mon éducation était faite. Se réveiller ensemble et se retrouver le soir étaient à ses yeux l'essentiel : nous étions maintenant un couple officiel et il aimait dire en parlant de moi « ma femme ». Nous séparer ne l'inquiétait plus à condition que cela ne dure que quelques jours. De le voir enfin apaisé me rendait heureuse et tout en même temps me troublait : était-ce compatible avec le grand amour qui nous avait jetés dans les bras l'un de l'autre quand il était venu me rejoindre chez une amie dans le sud de la France ? Une autre crainte me tourmentait que je notais avec sérieux dans le journal tenu jadis mais que j'avais quasiment abandonné : « Aimer m'enlève toute mon indépendance. »

À la fin de l'année 1967, il avait souhaité que je tourne,

ainsi que Jean-Pierre Léaud, dans son film *Le Gai Savoir.* Au même moment, Michel Cournot me proposait de faire la photo de plateau noir et blanc du sien, *Les Gauloises bleues.* Je n'avais guère hésité. Refuser Jean-Luc, dire non à mon mari, me prouvait que j'étais encore libre et disponible pour une nouvelle aventure. Jean-Luc eut un peu de mal à l'accepter, puis, sur mes conseils, engagea Juliet Berto.

Ce furent deux mois étranges où nous nous levions très tôt et nous retrouvions tard le soir, trop fatigués pour nous raconter nos journées, pour partager nos joies et nos soucis. Nous étions devenus presque chastes et je me demandais, un peu inquiète, si c'était ça vivre ensemble.

À l'invitation d'une université américaine nous partîmes ensemble pour Los Angeles. Mais mon séjour fut de courte durée et je dus quitter Jean-Luc pour rejoindre Rome où Pier Paolo Pasolini commençait en avance le tournage de *Théorème.* C'était la première fois que nous étions vraiment séparés et nous étions déchirés de chagrin. Il nous semblait que nous prenions le risque de ne jamais nous revoir et nous sanglotions de concert avant que je monte dans l'avion. L'équipage d'Air France, impressionné, avait même autorisé Jean-Luc à m'accompagner sur la passerelle. Au bout de quelques jours, il fit l'aller-retour entre Los Angeles et Rome pour vérifier si je l'aimais toujours autant. Nos courtes retrouvailles furent passionnées, à l'image de ce que nous avions vécu un an auparavant. J'étais rassurée.

Une autre invitation nous mena, début février 1968, à La Havane. Les officiels du cinéma cubain accueillirent Jean-Luc comme un héros. J'étais gênée par ce qui ressemblait à de la dévotion mais lui ne se rendait compte de rien. Quand il suggéra la possibilité de faire un film avec eux, on mit aussitôt à sa disposition du matériel, deux techniciens, et nous partîmes. Jean-Luc filmait ici et là, sans aucune conviction, des paysages, des images de propagande, quelques rares affiches du Che. Je le sentais à la recherche de quelque chose qu'il ne trouvait pas, il était taciturne et insatisfait. Nos camarades cubains se donnaient pourtant beaucoup de mal pour accéder à la moindre de ses demandes et pour me faire plaisir. Ils m'offrirent quelques cadeaux dont un immense châle brodé du XIXe, puisé dans la réserve de vêtements anciens de l'école de cinéma de La Havane. Mais il y avait un sujet qu'il ne fallait pas aborder et à propos duquel, eux, comme tous les autres Cubains, se taisaient obstinément : l'emprisonnement en Bolivie du Français Régis Debray qui avait combattu à leurs côtés. Que faisait Castro pour le libérer ? Nous ne comprenions pas leur silence.

À Paris, on s'agitait beaucoup. Le 9 février, le président de la Cinémathèque, Henri Langlois, avait été remplacé sur décision gouvernementale. Des télégrammes de François Truffaut qui joignirent Jean-Luc à l'hôtel disaient en substance : « Rentre immédiatement, on a besoin de toi. » Deux places furent aussitôt réservées sur le premier vol pour Madrid où nous passâmes plusieurs heures à attendre une correspondance pour Paris. Jean-Luc enrageait de ne pas être sur place et la colère lui redonnait une énergie jusque-là perdue.

À peine arrivés chez nous, il s'empressa de rejoindre le comité qui s'était formé pour la défense d'Henri Langlois et que menaient avec fièvre François Truffaut, Jacques Rivette et Barbet Schroeder. Beaucoup de cinéastes, d'acteurs et de techniciens participaient aux débats. Nous avions l'impression que tout le cinéma français, pour la première fois, s'exprimait d'une seule voix. On parlait de « marcher » sur la Cinémathèque, de la « libérer » puisqu'elle était provisoirement fermée.

Je n'avais jamais été sensible à la personnalité de Langlois parce qu'il était négligé, à vrai dire sale : il me dégoûtait. J'esquivais ses bruyantes étreintes et faisais un bond de côté quand il voulait me prendre dans ses bras. Jean-Luc fronçait les sourcils mais c'était plus fort que moi. Je savais ce que le cinéma lui devait et la Cinémathèque de Chaillot était pour moi, comme pour les autres, un lieu sacré.

Les choses allèrent très vite sous l'impulsion de Jean-Luc, Truffaut et Rivette, plus que jamais décidés à faire réintégrer Henri Langlois. Des étudiants se ralliaient aux gens de cinéma avec, eux aussi, l'envie d'en découdre. Souvent à l'étranger, assez indifférente à ce qui se passait en France dans le monde universitaire, je ne faisais pas le rapprochement entre la révolte qui régnait sur les campus américains et ce que je pouvais voir à Paris. À l'inverse, Jean-Luc pressentait que quelque chose d'inédit avait lieu partout, en Allemagne, en Tchécoslovaquie, à Rome ou à Londres. Ses amitiés avec des étudiants maoïstes le confortaient dans ce sens. Dès notre retour de Cuba, il reparla de révolution internationale. Nous l'écoutions à peine tout à notre mission de sauver Langlois et la Cinémathèque. C'était joyeux, nouveau, fraternel, et je m'amusais beaucoup au milieu de mes aînés qui avaient à nouveau vingt ans, comme moi.

À la première manifestation du 12 février, en fin de journée, rue d'Ulm, succéda celle du 14, devant le palais de Chaillot, qui réunit, estima-t-on, trois mille personnes. Nous avions remonté en rangs serrés l'avenue du

Président-Wilson en scandant des slogans qui réclamaient la démission du ministre de la culture, André Malraux, et la réouverture immédiate de la Cinémathèque. Je faisais partie du cortège de tête, entre Jean-Luc et François Truffaut, impressionnée et grisée par leur détermination.

Détermination qui se durcit quand notre manifestation se heurta à la police qui barrait le haut de l'avenue et interdisait l'accès à la place du Trocadéro. Il y eut quelques premiers échanges de coups, pas méchants, plus dans la tradition de Guignol, qui débouchèrent sur un compromis : on nous autorisa à nous regrouper sur l'esplanade le temps de lire un appel adressé au gouvernement et signé par tous les gens de cinéma. Après, il faudrait se disperser dans le calme.

Bien entendu, personne parmi nous n'avait l'intention d'obéir et la lecture de l'appel ne fit que renforcer notre combativité. Nous voulions faire ouvrir de force les portes de la Cinémathèque et du Théâtre national populaire, pour l'instant bien gardées ; attaquer les policiers avant qu'ils ne nous attaquent.

Le choc fut violent. Un bref instant déconcertés, les policiers répliquèrent à coups de matraque et la bagarre devint générale : on était loin de Guignol.

Je repensais en rentrant chez moi à cette journée du 14 février. Il régnait une atmosphère d'émeute aux abords de la Sorbonne. Nous étions le 3 mai 1968. Je savais qu'un meeting devait s'y tenir et qu'on avait fermé l'université de Nanterre. Je n'en savais guère plus malgré les explications de Jean-Luc, le soir, quand nous nous retrouvions. Le jour, je venais de commencer le tournage du film de Philippe Fourastié *La Bande à Bonnot* dans les environs de Paris.

Tout à coup, des étudiants surgirent de partout en hurlant, poursuivis par ce qui m'apparut être une armée de policiers, casqués, la matraque à la main et frappant sans distinction les jeunes qu'ils parvenaient à attraper. Je m'arrêtai net au carrefour du boulevard Saint-Germain et de la rue Saint-Jacques, tétanisée, paralysée de peur, incapable de me mettre à courir. Les étudiants fuyaient droit devant eux en direction de la place Maubert, me bousculaient. « Ne reste pas ici, connasse », me dit l'un d'eux en essayant de m'entraîner. Et comme je ne bougeais toujours pas, il m'assena à toute volée une paire de gifles avant de reprendre sa course.

Cela me ramena à la réalité. Je vis l'armée des policiers se rapprocher et je courus rue Saint-Jacques où se trouvait notre immeuble. Toujours terrorisée par les bruits de guerre qui me parvenaient, persuadée qu'on pouvait me traquer jusqu'à notre appartement, je montai à une vitesse folle les quatre étages et fermai les trois verrous que Jean-Luc avait jugé bon de faire installer. Sauvée !

Notre appartement était composé de trois niveaux. Une première volée de marches conduisait au bureau et à la salle de bains de Jean-Luc, une deuxième au salon et à la microscopique cuisine, une troisième encore à ma salle de bains et à notre chambre sous les toits. Elle ouvrait sur une petite terrasse.

Je restai quelques minutes affalée, occupée à reprendre mon souffle, guettant les bruits de l'immeuble. Mais c'était de la rue que me parvenait l'écho de ce qui se passait dehors. Un écho assourdi par le double vitrage des fenêtres de la pièce principale.

Je les ouvris. La traque des étudiants se poursuivait boulevard Saint-Germain et rue Saint-Jacques. Des groupes de jeunes, garçons et filles mélangés, se battaient à mains nues contre les matraques des policiers, d'autres lançaient différents objets ramassés sur les trottoirs. Parfois, des fumées m'empêchaient de distinguer qui attaquait qui. Nous apprendrions plus tard qu'il s'agissait de gaz lacrymogènes. Les hurlements des sirènes de police et les klaxons lointains d'automobilistes furieux, bloqués aux abords du Quartier latin, couvraient les rumeurs de la foule et les slogans que continuaient de crier quelques étudiants dans des porte-voix.

Le téléphone sonna. C'était Jean-Luc, très inquiet. Il craignait que je n'aie pas eu le temps de regagner notre appartement. Il avait appelé une première fois une demi-heure auparavant et, ne me trouvant pas, s'apprêtait à joindre Bambam et Rosier chez qui, pensait-il, je m'étais peut-être réfugiée. Soulagé de me savoir à l'abri, il se demandait comment me retrouver. Il se trouvait rive droite, mais il m'assurait qu'il saurait se débrouiller pour rentrer. Moi, je devais ne pas bouger, l'attendre. C'était à mon tour d'être inquiète. Pour l'avoir vu foncer sur les policiers lors de la bataille devant le palais de Chaillot, je connaissais son agressivité, son inconscience devant le danger. Il me promit d'être prudent et raccrocha sur ce conseil : « Écoute Europe numéro 1. »

J'allumai le gros poste capable de capter Radio Pékin qu'il avait filmé dans *La Chinoise* et écoutai un journaliste narrer en direct les affrontements entre les étudiants et les policiers. Les échauffourées s'étaient portées maintenant vers la Sorbonne et le Panthéon, on disait qu'il y aurait eu des blessés des deux côtés et l'issue de cette journée semblait impossible à prévoir. Un de ses collègues, du studio, rappela les derniers événements.

Tout avait commencé par la fermeture de Nanterre et la convocation devant la commission disciplinaire de quelques étudiants considérés comme les leaders de la révolte qui agitait la faculté depuis fin mars. À cela s'ajoutait le cortège du mouvement d'extrême droite Occident qui menaçait d'interrompre le meeting improvisé à la Sorbonne pour dénoncer leurs méfaits, dont l'incendie récent des locaux de la Fédération des groupes d'études de lettres. Le recteur de la Sorbonne avait appelé la police pour ramener l'ordre. Ainsi ceux qui se battaient encore en ce moment étaient des gauchistes, des communistes, des fascistes et des policiers ! J'avais du mal à m'y retrouver.

Quand Jean-Luc me rejoignit, il était fort déçu de n'avoir rien vu. La journée s'achevait et un franc soleil de mai éclairait l'église Saint-Séverin et ses jardins. Seuls des débris divers jonchaient les trottoirs et rappelaient les affrontements de l'après-midi. Si les combats continuaient, c'était ailleurs. Jean-Luc me fit raconter en détail ce que j'avais vécu. L'épisode de la paire de gifles donnée par un inconnu l'attendrit. « Il faut toujours que tu prennes un coup ! »

Il faisait allusion à un moment précis de l'affaire Langlois, le 14 février, quand les manifestants, lui et Truffaut en tête, se retournèrent pour attaquer les policiers. Ceux qui gardaient l'entrée du palais de Chaillot, sidérés par leur audace, abandonnèrent leur poste pour voler au secours de leurs collègues. « Tous au TNP ! Occupation du théâtre ! » cria alors Rivette en s'engouffrant dans le bâtiment. Je me trouvais à ses côtés en compagnie de mon frère Pierre et d'une amie, et nous le suivîmes sans hésiter. La vision de Rivette en chef de guerre était exaltante et l'accompagner un devoir, un honneur. Nous dévalâmes les escaliers jusqu'à la salle de spectacle. Sans marquer le moindre temps d'arrêt, Rivette sauta sur la scène et se retourna triomphant. Alors son visage se figea, on aurait dit soudain un petit enfant sur le point de pleurer. Ses troupes, en tout et pour tout, se composaient de Pierre, de notre amie, d'un inconnu et de moi.

La remontée des marches fut sinistre. Aucune parole ne s'échangea entre nous. Je trouvais la situation assez cocasse mais me gardai de faire la moindre plaisanterie tant notre cher Rivette semblait accablé. J'avais envie de le consoler, de lui dire que ce n'était pas grave, mais jamais je ne me serais autorisé une telle familiarité.

En haut, une autre surprise nous attendait : on avait refermé les portes du palais de Chaillot, surveillées à nouveau par quelques policiers. Nous assistâmes impuissants à la bataille qui faisait rage à l'extérieur. Furieux et humiliés, nous tambourinions aux portes pour qu'on nous délivre. Finalement, un policier stupéfait se décida à nous ouvrir. Nous sortîmes avec dignité, je murmurai même un « merci » et reçus d'un autre policier un coup de matraque sur la tête qui me fit dévaler les quelques marches et tomber sur le trottoir. À demi évanouie, je me retrouvai surprise dans les bras de Simone Signoret. Sa notoriété et l'arrivée d'un Jean-Luc complètement affolé calmèrent le jeu et on put m'évacuer. Je n'avais rien, mais les radios qui relataient la « révolte des Artistes » en parlèrent. Le lendemain, ma mère reçut un télégramme d'excuse du préfet Grimaud : il avait été un ami de mon père quand ils étaient élèves à l'École alsacienne. Depuis nous évoquions souvent ce que Jean-Luc appelait la « prise du palais d'Hiver par Jacques Rivette ». Mais Jean-Luc, ce jour-là, ne voulait pas s'attarder sur un souvenir.

— Ce qui se passe aujourd'hui est d'un tout autre ordre et c'est loin d'être fini.

Il me serra dans ses bras avec tendresse.

— Tu verras.

Il tenta en vain de joindre ses mystérieux amis maoïstes, puis Michel Cournot à Sceaux qui n'était au courant de rien, puis Bambam et Rosier qui croyaient comprendre que des combats se poursuivaient rue Soufflot. Du toit transformé en terrasse du 20, rue de Tournon, ils entendaient un slogan : « Libérez nos camarades ! »

— Demain, je n'irai pas au montage du *Gai Savoir*, qui de toutes les façons me casse les pieds, mais j'irai à la rencontre des étudiants. J'espère que tu viens avec moi.

Il n'en était pas question : le lendemain, je devais rejoindre le tournage de *La Bande à Bonnot*.

Philippe Fourastié, dont c'était le deuxième film comme réalisateur, s'était entouré de presque toute l'équipe technique des *Gauloises bleues* où il avait été l'excellent premier assistant de Michel Cournot. Du côté de la distribution on retrouvait Jean-Pierre Kalfon, personnage principal du film de Michel, mais aussi Annie Girardot et Bruno Cremer qui n'avaient fait que passer. Eux étaient maintenant les vedettes de *La Bande à Bonnot* avec Jacques Brel, qui jouait Raymond la Science. Nella, la femme de Cournot, et moi avions de petits rôles. Nous étions les uns et les autres ravis de nous retrouver si vite ensemble et le tournage avait démarré dans une atmosphère familiale et détendue. Pour avoir assuré la photo de plateau noir et blanc du précédent, je m'étais particulièrement liée avec l'équipe technique. Nella et moi figurions surtout dans des scènes de groupe autour des vedettes.

Depuis quelques jours, nous tournions à une trentaine de kilomètres de Paris dans une villa 1900 et le parc, autour. Les attaques de banque, les courses de voitures et le siège sanglant où Bonnot-Bruno Cremer serait abattu étaient prévus pour plus tard.

Tout le monde savait ce qui avait eu lieu la veille, à Paris. Certains s'en fichaient, considérant que cela avait été un feu de paille, d'autres étaient plus troublés. La préfecture de police avait annoncé près de six cents arrestations, les cours étaient suspendus à la Sorbonne et les deux principaux syndicats étudiants, l'UNEF et le SNESup, appelaient maintenant à une grève illimitée.

On tournait justement une séquence de descente de police à la villa. Un inspecteur chargé d'obtenir des renseignements sur les caches possibles de Bonnot interrogeait ses proches. J'interprétais un personnage surnommé la Vénus rouge qui devait les trahir plus tard, mais qui, pour le moment, crachait son mépris. Tandis que nous répétions, Bruno Cremer s'était planté à côté de la caméra et se moquait de moi. « Tu es nulle ! » disait-il, et sa variante : « À chier ! » Cela l'amusait beaucoup car je devenais de plus en plus gauche. Ce n'était pas la première fois qu'il me provoquait de la sorte. Lorsqu'il apparaissait sur le tournage des *Gauloises bleues*, entre deux prises, il me disait : « Le cinéma de ton mari, c'est d'un chiant ! » J'étais un peu surprise car je l'admirais. Je le trouvais aussi très séduisant.

Par contre, l'entendre me répéter en public que j'étais nulle me déstabilisait et je perdais peu à peu mes maigres moyens. « Fiche-lui la paix, Bruno, laisse-nous répéter », s'agaçait le metteur en scène. Armand, son cadreur qui était devenu un ami, me chuchota à l'oreille : « Ne t'inquiète pas. En fait, tu dois lui plaire et c'est sa façon de te draguer. Bruno est un homme à femmes. » C'était peut-être vrai, peut-être flatteur, mais je me sentais telle qu'il le disait, nulle. La séquence terminée, je ne restai pas pour assister à la mise en place de la suivante comme j'aimais tant le faire et rentrai dans la villa où on avait installé la régie. Direction la cuisine avec l'intention d'y boire un café.

Une femme sans âge était chargée de veiller sur la maison et d'offrir des petits déjeuners et des casse-croûte. Debout contre une antique cuisinière à charbon, elle écoutait Jacques Brel qui monologuait devant un verre de vin rouge. Je m'assis discrètement en face de lui et murmurai un inaudible « bonjour ».

Présent depuis peu, il se tenait systématiquement à l'écart de ses partenaires. Philippe Fourastié avait tenté de le rapprocher des autres, sans succès. Il ne semblait pas hostile, mais absent, comme venu d'un autre univers. Annie Girardot, qui passait pour une séductrice, avait été chargée de l'amadouer. Elle s'y était employée dans cette même cuisine et, par hasard, je me trouvais là. Il l'avait regardée distraitement, sans jamais lui répondre, puis m'avait regardée moi qui me tenais en retrait, soucieuse de me faire oublier. Il m'avait alors adressé un grand et franc sourire. Annie, stupéfaite et peut-être vexée, cessa net son numéro de séduction et quitta la pièce.

Jacques, lorsqu'il jouait, se comportait néanmoins en vrai professionnel et prenait toujours ses repas avec l'équipe. Ceux qui l'admiraient éperdument, dont je faisais partie, étaient très impressionnés de l'avoir comme voisin et trop timides pour oser l'approcher. Timide, il devait l'être aussi.

Mais ce matin-là, il ne pouvait s'arrêter de parler. Il était question d'une personne qui avait dû le faire souffrir ou mal se conduire avec lui, ce n'était pas clair. Il l'avait aimée, elle l'avait quitté, il risquait « d'en crever ». De temps en temps, il se retournait vers moi qui l'écoutais avec compassion ou vers la femme, toujours debout contre la cuisinière et qui demeurait impassible.

Puis, ses plaintes se transformèrent en colère. Il cessa d'évoquer celle qui le faisait tant souffrir pour s'en prendre aux femmes, à toutes les femmes. Il eut à leur propos des mots insultants, odieux, faisant preuve tout d'un coup d'une misogynie qui me choqua, même si je connaissais le contenu amer de certaines de ses chansons. La stupéfaction dut se lire sur mon visage.

— N'est-ce pas ? dit-il en se tournant vers moi.

— Mais... Comment pouvez-vous dire ça devant moi ? Je suis une femme !

Il me contempla un instant en silence. Sa colère semblait s'être calmée, laissant place à une énigmatique rêverie.

— Non, dit-il enfin sur un tout autre ton. Toi, tu ne fais pas partie des femmes, tu n'es pas une femme.

Cette affirmation me laissa sans voix. Des questions se bousculaient dans ma tête : si je n'étais pas une femme, j'étais quoi alors ? Il me tendit la main par-dessus la table.

— Tu es un être humain. Et puis oublie toutes ces conneries que je débite, c'est le printemps qui me met dans un drôle d'état.

Oui, c'était le printemps, un splendide printemps lumineux et chaud comme je ne me souvenais pas d'en avoir vécu. Ou bien je n'avais pas su les voir. Mais je reconnus aussitôt ce sentiment d'euphorie, cette confiance enfantine dans ce que l'avenir vous réserve encore de bonheur et de découvertes. Je savais que cela ne durerait pas forcément et qu'il me fallait me dépêcher d'en profiter. Je m'assis à l'écart du tournage, dans une prairie, le dos appuyé contre un marronnier en fleur, sensible à l'odeur de l'herbe coupée la veille, au parfum des lilas, aux chants des oiseaux enfin de retour. Depuis combien de temps ne m'étais-je pas laissée aller à cette joie si simple que me procurait le contact avec la nature ? Depuis notre mariage, il n'y avait même pas encore un an, tout avait été si vite, nous avions fait tellement de choses Jean-Luc et moi...

— Mais qu'est-ce que tu fiches vautrée dans l'herbe dans ton costume d'époque ? Tu sais que tu portes le même pendant tout le film ! Lève-toi !

La costumière, qui avait fait partie de l'équipe des *Gauloises bleues*, me brossa vigoureusement le dos, les fesses, les jambes. Ma longue et jolie robe grise 1900 aurait besoin d'être nettoyée le soir même. Comme souvent, elle fumait un joint, ce qui la maintenait dans une constante bonne humeur.

Jean-Luc était là quand je rentrai à la maison. Mais il n'était pas seul. Un jeune homme était présent, affalé sur un des deux divans, une bière à la main. Comme tous les garçons de son âge à cette époque, il avait les cheveux trop longs et sales, un jean et une veste noire froissée, un tee-shirt blanc d'une propreté douteuse. Le négligé volontaire porté comme un uniforme m'exaspérait en général et je fixais le nouveau venu sans aucune sympathie.

— Salut, camarade ! dit-il sans bouger.

En plus, il avait une voix de stentor.

— Jean-Jock, s'empressa d'ajouter Jean-Luc.

Et pour en finir avec les présentations :

— Anne, ma femme.

— M'enfin, Jean-Luc, tu sais bien que j'ai vu *La Chinoise* plusieurs fois !

S'il parlait trop fort et d'une façon qu'il devait imaginer

« prolétarienne », son côté titi parisien me fit le regarder avec un peu plus de bienveillance. Je les laissai, je montai dans notre chambre pour me changer et enlever mon maquillage de la journée.

De là, je les entendais rire. Ils paraissaient contents d'être ensemble et très complices. Depuis quand se connaissaient-ils ? C'était surtout le dénommé Jean-Jock qui parlait et les silences de Jean-Luc me surprenaient : se taire en présence d'un autre n'était pas dans ses habitudes, il fallait qu'il ait toujours le dernier mot. J'étais intriguée et descendis les rejoindre. En me voyant, Jean-Luc crut bon de m'expliquer :

— Jean-Jock est persuadé que les grèves de la Sorbonne et de Nanterre vont s'étendre à toutes les universités, que les lycéens suivront et la classe ouvrière aussi.

— On est à la veille du Grand Soir ! compléta Jean-Jock.

Quel jargon ! Je les regardais l'un et l'autre sans comprendre d'où venait leur enthousiasme, l'assurance du jeune homme et l'admiration que lui portait l'aîné. Mon absence de réaction surprit Jean-Jock :

— Tu doutes de mes prévisions, camarade ?

J'étais à nouveau exaspérée.

— D'abord, ne m'appelez pas « camarade » à tout bout de champ, et puis on n'est pas obligés de se tutoyer, on se connaît à peine !

Une phrase avait suffi pour le désarçonner. Jean-Jock était devenu un petit garçon qui me fixait avec des yeux suppliants de cocker. Je devinai qu'il me faisait à sa façon du charme et cela me le rendit plus humain.

— Bon, d'accord, on peut se tutoyer.

Alors, toujours comme un petit garçon, il feignit une

joie excessive, se mit à quatre pattes, fit même le beau en mimant un jeune chien. Ses yeux de cocker le rendaient si crédible que j'eus du mal à me retenir de rire : nous n'étions plus à la veille du Grand Soir mais dans un film de Walt Disney ! Je me rappelai que nous avions rendez-vous avec Bambam et Rosier pour dîner à la Brasserie Balzar. Jean-Luc, que le numéro de Jean-Jock avait diverti lui aussi, en convint :

— Allons-y, on ne doit pas les faire attendre, dit-il en forçant sur son accent suisse pour achever de me mettre de bonne humeur.

Dans l'escalier, puis dans la rue Saint-Jacques, devant notre immeuble, Jean-Jock chantait à tue-tête :

Je suis franc et sans soucis,
Ma foi, je m'en flatte !
Le drapeau rouge que j'ai choisi
Est rouge écarlate.
De mon sang, c'est la couleur
Qui circule dans mon cœur.
Vive la Commune !
Enfants !
Vive la Commune !

— *Vive la Commune ! Enfants !* répéta Jean-Luc.

Il s'était retourné pour le regarder s'éloigner, amusé, attendri. Il était visiblement séduit par sa jeunesse, avec quelque chose de paternel qu'il avait réservé jusque-là au seul Jean-Pierre Léaud. Je lui en fis la remarque.

— Jean-Jock est un militant alors que Jean-Pierre n'est qu'un artiste.

Et devançant mes questions, il m'expliqua que son nouvel ami, tout récent bachelier, avait des années de militantisme derrière lui, au lycée. Il avait de qui tenir : son père avait été un résistant communiste lors de la dernière guerre et sa mère avait fait partie des réseaux d'aide au FLN, pendant la guerre d'Algérie.

— Elle a sûrement rencontré et peut-être travaillé aux côtés de notre ami Francis Jeanson.

Notre ami Francis Jeanson ? Cela faisait des mois que nous n'avions plus de nouvelles de lui et de l'action culturelle qu'il menait depuis un an à Chalon, avec le théâtre de Bourgogne. Nous n'en avions pas donné non plus, trop occupés par nos voyages et nos activités. Mais j'étais restée sur une désagréable impression : il n'avait pas compris que je ne me présente pas à mon examen de fin d'année à Nanterre, que j'abandonne la philosophie qu'il m'avait appris à aimer. S'il avait su que cette décision avait été prise quelques jours avant la date de l'examen parce que Michel Cournot, l'air de ne pas y toucher, m'avait dit alors que je tentais encore de réviser au fond de son jardin de Sceaux : « N'y va pas, c'est des conneries, la vraie vie est ailleurs »... La pensée de Jean-Luc allait toujours beaucoup plus vite que la mienne.

— Je me demande comment Francis analyse ce qui se passe, aujourd'hui, dans les universités.

— À ta question, il répondrait...

— « Précise ta pensée. »

C'était la phrase préférée de Francis et nous l'avions beaucoup taquiné à ce sujet. De la restituer si vite et en même temps nous fit rire et j'étais heureuse de notre complicité retrouvée. Nous allions lui téléphoner ou, mieux encore, lui faire la surprise de le rejoindre à Chalon, le week-end prochain. Jean-Luc semblait tout à coup avoir un besoin urgent de reprendre le dialogue interrompu.

Mais à la hauteur du square Paul-Painlevé, la vision de la Sorbonne encerclée par des cordons de policiers nous stupéfia. Pendant quelques minutes nous avions complètement oublié ce qui se passait à Paris, ce 4 mai 1968, et cette vision était horrible. Casqués, armés de boucliers et de matraques, ces policiers faisaient peur. Plus haut, rue Saint-Jacques, et un peu plus loin, rue des Écoles, en direction de Maubert et du boulevard Saint-Michel, des groupes d'étudiants se formaient. Certains criaient des slogans hostiles que ne reprenaient pas toujours les autres. Une distance prudente entre eux et les policiers s'était créée et semblait devoir être respectée. Pour le moment, du moins.

Jean-Luc, fasciné, s'avança alors vers les policiers, seul, les poings refermés à la hauteur de la poitrine comme pour se protéger des coups qu'il allait provoquer en réponse aux siens. Il ressemblait à un boxeur dans un film noir américain, à un samouraï dans un film japonais. Je le tirai de toutes mes forces vers la brasserie, aussi effrayée par son attitude que par celle, étrangement impassible, des policiers. Jean-Luc se laissa faire en bougonnant.

À l'intérieur du Balzar, tout était comme d'habitude : les garçons s'affairaient dans leur grand tablier blanc et si les clients commentaient ce qui avait lieu dehors, c'était sur le ton de la conversation. La brasserie était une enclave à part en plein Quartier latin et devait le demeurer ensuite.

Bambam et Rosier nous attendaient à leur table, au fond, près de la caisse. Bambam à demi affalé sur la banquette, Rosier très agitée.

— Ouh là là, dit-elle aussitôt, Jean-Luc fait la gueule, Jean-Luc n'est pas content de dîner dans un restaurant si proche de la Sorbonne gardée par la police !

— Ouais, exactement.

Il s'assit sur la chaise voisine de celle de Rosier tandis que je me faufilai sur la banquette près de Bambam que j'embrassai. J'en aurais volontiers fait de même avec Rosier, mais déjà elle discutait avec Jean-Luc, tentant de le convaincre que non, le Balzar n'était pas protégé par la police, tandis que lui, dépassé par sa verve, parvenait à peine à aboyer des « C'est pareil ! » Mais très vite, ils furent d'accord sur l'importance du mouvement des étudiants et sur ce que cela laissait présager. Seul le vocabulaire les séparait. Si Rosier disait : « C'est passionnant ! », Jean-Luc sur un ton de maître d'école la reprenait : « La question n'est pas que ce soit passionnant ou pas. — Mais vous comprenez ce que je veux dire ! — Non, Rosier, non ! » Et ainsi de suite.

J'admirais Rosier, la force de ses convictions, son courage pour les exprimer. Elle était parfois submergée par son émotivité, ce qui arrivait souvent avec Jean-Luc, beaucoup plus entraîné qu'elle à ce genre de joutes oratoires. Lui l'estimait y compris quand elle l'irritait, comme ce soir. Ils avaient à peu près le même âge. Pour moi, elle était à la fois une mère et une sœur aînée, une sorte de modèle à suivre pour l'avenir.

— Tu crois que ça va durer longtemps, leur numéro ? demanda Bambam à voix basse.

Bambam était l'inverse de Rosier : prudent, silencieux, très séduisant et très séducteur, avec un sens remarquable de la petite phrase drôle et pertinente à placer au juste moment pour l'emporter dans une discussion en cours. Dans ces cas-là, Jean-Luc s'inclinait volontiers. Ils s'appréciaient et se tutoyaient. Un jour, par hasard, ils avaient découvert qu'enfants ils avaient été louveteaux, l'un en France et l'autre en Suisse. Le totem de Bambam était « Kangourou bohème », celui de Jean-Luc « Moineau batailleur ». Rosier, Michel Cournot et moi avions jugé ces surnoms d'une poétique actualité.

La discussion entre Jean-Luc et Rosier momentanément apaisée, nous parlâmes de choses et d'autres tout en surveillant les bruits qui nous parvenaient de la rue des Écoles. Rien ne laissait supposer que les affrontements reprendraient ce soir-là. Nous entendions le flux habituel des voitures du boulevard Saint-Michel et l'autobus 63 marquer ses arrêts, sur le trottoir en face du Balzar.

Je racontai ma journée de tournage, l'acharnement de Bruno Cremer à me dire que j'étais nulle et comment j'avais appris grâce à Jacques Brel que je n'étais pas une femme. Si j'avais cru les émouvoir, j'en fus pour mes frais. Rosier et Bambam trouvèrent cela très drôle et Jean-Luc devint songeur.

— Entendre le nom de Cremer me fait penser au flop d'avril dernier...

Il ne termina pas sa phrase.

Sur l'initiative d'une productrice anglaise déterminée à produire un film avec Godard et les Beatles, je l'avais accompagné à Londres. Il avait même griffonné un vague début de synopsis où une jeune femme qui ne parvenait pas à se faire avorter (moi) tentait de se suicider en se jetant sous une voiture. Las, chaque fois elle tombait sur un Beatles au volant d'une Rolls et sa tentative échouait. Ce qu'il adviendrait après ? Jean-Luc l'ignorait mais comptait sur les Beatles pour trouver plus d'inspiration. Nous les adorions et écoutions en boucle leur dernier disque, *Sgt. Pepper's Lonely Hearts Club Band.*

Un rendez-vous fut pris dans leurs bureaux d'Abbey Road avec John Lennon et Paul McCartney. Le premier se montra d'emblée hostile, fermé à toutes les suggestions de l'entreprenante productrice. Il semblait ailleurs et décidé à mettre fin au plus vite à cette rencontre. Le second, à l'inverse, n'était que charme et gentillesse, désireux de faire un film avec Godard dont il disait « vénérer le cinéma, tout le cinéma ». Parce que la discussion durait, John Lennon se leva et sans un mot, sans un regard, quitta la pièce. « Revenez demain, nous dit le conciliant Paul McCartney. John n'est pas dans un de ses bons jours. Mais je vais lui parler et j'espère qu'il sera plus coopératif. »

Jean-Luc se débarrassa de la productrice en prétextant qu'il était fatigué et nous nous promenâmes dans un Londres très joyeux, très vivant. Il était d'excellente humeur. « Ce projet idiot ne se fera jamais, dit-il. Mais j'ai une idée, une bien meilleure idée ! »

Et il me rappela comment les scénaristes américains de *Bonnie and Clyde*, Robert Benton et David Newman, étaient venus les voir, François Truffaut et lui, avec un nouveau scénario intitulé *L'Assassinat de Trotsky*. François avait tout de suite décrété qu'il ne se sentait pas capable de traiter un sujet aussi éloigné de son univers, que c'était un projet pour Jean-Luc. Ce dernier, effectivement, était tenté. Le scénario lui avait plu, l'enthousiasme et la cinéphilie des deux Américains aussi. La veille, Michel Cournot lui avait montré dans le plus grand secret un premier montage des *Gauloises bleues*. On ne sut jamais ce qu'il pensait vraiment du film mais il avait été impressionné par les interprétations de Jean-Pierre Kalfon, de Bruno Cremer et de Nella, qui tenait le premier rôle féminin. Il avait rêvé un moment : Cremer serait l'assassin de Trotsky, moi sa femme, Nella celle de Trotsky. Mais à la question : qui sera Trotsky ? non, vraiment, aucun nom ne lui était venu. Les deux scénaristes avaient objecté que Cremer, Nella et moi n'étions pas des vedettes et qu'il fallait une star connue du public américain.

L'affaire en resta là jusqu'au rendez-vous dans la maison de disques des Beatles, à Abbey Road. « Trotsky, ce sera John Lennon ! Indiscutable, non ? » Nous avions passé une partie de la nuit à échafauder des projets. Même tourner au Mexique ne rebutait pas Jean-Luc. Depuis *La Chinoise*, je ne lui avais plus vu une telle envie de faire un film.

— Pourquoi tu penses au flop d'avril ?

Son silence se prolongeait, Bambam et Rosier attendaient qu'il en dise plus. Ma question ramena Jean-Luc au dîner.

— Parce que je me demande ce que tu foutais sous la table avec Paul McCartney !

Je compris qu'il parlait de notre deuxième rendez-vous dans la maison de disques, qui s'était encore plus mal passé que celui de la veille. Jean-Luc, très en verve, avait immédiatement entrepris John Lennon sur l'histoire de Trotsky. Ils feraient ensemble un vrai film révolutionnaire, le premier. Il parlait à toute vitesse et la productrice avait du mal à le traduire, stupéfiée par le tour inattendu que prenait son projet. Mais très vite John Lennon les interrompit et d'une voix suraiguë, le visage déformé par la rage, se lança à son tour dans un flot de paroles. Quelqu'un venait d'apporter un plateau avec du thé, des assiettes de biscuits et petits sandwichs. Paul McCartney lança alors un joyeux : « J'invite la femme du metteur en scène à prendre le thé avec moi, sous la table. » Il souleva la nappe pour mieux s'y faufiler. Comme si c'était la chose la plus normale du monde – et dans ce contexte étrange, cela l'était –, je le rejoignis. Assis l'un en face de l'autre en tailleur, notre tasse de thé à la main, nous échangions à voix basse, dans un invraisemblable sabir franco-anglais, quelques commentaires sur l'agitation frénétique des jambes de nos compagnons. Celles de Jean-Luc et de John Lennon frappaient la moquette, nous nous rapprochions davantage pour les éviter. Celles de la productrice en mini-jupe se croisaient et de se décroisaient. Au-dessus de nos têtes, le ton avait monté. John Lennon et Jean-Luc très vite se mirent à hurler. « Je crois que c'est foutu », dit Paul, et devant mon air déçu : « Je suis désolé, cela avait l'air très bien, le projet de ton mari… Tu le lui diras ? » Puis, une serviette blanche à la main, il sortit de dessous la table et l'agita. « Fin des hostilités ! » dit-il en me tendant son autre main pour m'aider à me relever. Et tout s'acheva. John Lennon quitta la pièce en claquant la porte, suivi par un Paul McCartney qui ne cessait de nous dire : « *I am sorry, so sorry…* », et nous nous retrouvâmes sur le trottoir. La productrice au bord des larmes ne savait que répéter : « Je ne comprends pas, je ne comprends pas », tandis que Jean-Luc, furieux, me faisait une absurde scène de jalousie : « Que foutais-tu sous cette table ? »

— Je prenais le thé avec Paul McCartney.

— Je suis au courant, c'est ce que tu m'as déjà répondu à Londres, en avril dernier.

Il s'adressa alors à Bambam et Rosier :

— Et vous trouvez ça normal, vous aussi ?

Rosier à nouveau s'agitait tandis que Bambam s'affalait un peu plus sur la banquette.

— Oui, dit-elle en riant nerveusement, c'est normal de prendre le thé sous la table avec Paul McCartney. C'est même une des principales revendications des étudiants, prendre le thé sous la table avec Paul McCartney !

— Ouille, j'ai mal au dos, je dois rentrer m'allonger !

Bambam avait toujours mal quelque part, au dos principalement. C'était vrai, personne n'en doutait, mais nous savions que cela lui permettait surtout de mettre un terme à une situation qui l'embarrassait ou qui l'importunait. Ce trait de caractère amusait Jean-Luc.

— Si Bambam a mal...

Il avait parlé gentiment. Comme souvent, son agressivité s'était dissipée aussi vite qu'elle était venue.

— Je viens de réaliser que je suis enchanté de ne pas tourner le film sur Trotsky ou sur les Beatles. C'est même un soulagement. Je n'ai plus envie de faire du cinéma, dit-il.

Rosier haussa les épaules et réclama l'addition pendant que Bambam se dirigeait vers la sortie. Sans nous être concertés, nous avions tous les trois choisi de faire comme s'il s'agissait là d'une de ses boutades habituelles.

Dehors, rien n'avait changé. Les mêmes cordons de policiers encerclaient toujours la Sorbonne. Les étudiants, par contre, étaient moins nombreux. « Ils doivent se réunir en AG pour préparer la journée de demain », dit Jean-Luc comme envieux d'une vie dont il serait exclu. Moi, j'écoutais les chants des merles et les cris des martinets square Paul-Painlevé et autour du jardin de l'église Saint-Séverin. Le jour s'achevait et ils se préparaient à la nuit dans un ultime tintamarre. Ce moment qui aurait pu être heureux me fut très vite gâché par le nombre important des cars de police garés à chaque carrefour, près de notre immeuble, comme postés en embuscade. Leur seule présence constituait déjà une menace.

Au pied de l'escalier, je m'agrippai au cou de Jean-Luc : « Je suis fatiguée, s'il te plaît, porte-moi. » Il bougonna par principe, je le suppliai telle une enfant capricieuse et il finit par céder. Il était fort, musclé comme un athlète et heureux de me le prouver en grimpant avec allégresse les quatre étages.

Le téléphone sonnait quand nous atteignîmes notre appartement. Jean-Luc décrocha le poste dans son bureau. « Ta mère ! » dit-il en me tendant le combiné. Mon frère n'était pas rentré, elle s'inquiétait : était-il avec nous ? Non, et je n'avais pas la moindre idée d'où il pouvait se trouver. Mais je pus lui affirmer que, malgré la forte présence policière, le Quartier latin semblait calme. Enfin, je lui promis que si Pierre se manifestait, oui, je lui dirais qu'elle l'avait appelé et qu'il devait illico rentrer à la maison. « Pierre, lui, sait où se passent les choses, comme Jean-Jock. » Jean-Luc faisait à nouveau sa tête d'exclu que tout le monde aurait abandonné.

Mais quand nous fûmes enfin au lit, il me serra tendrement dans ses bras, oubliant en un instant ce qui le tracassait. « Jacques Brel a raison : tu n'es pas *une* femme, tu es *ma* femme. » Puis, comme il en avait l'habitude, il s'endormit d'un coup. Je lui enviais cette faculté de pouvoir tomber sans transition dans un profond sommeil. Pour moi, c'était plus compliqué et l'insomnie était une sorte de malédiction depuis la mort de mon père, quand j'avais quinze ans. J'avais pris l'habitude d'avoir toujours une boîte d'Imménoctal à portée de la main. Mais j'aimais aussi regarder Jean-Luc endormi. Sans ses lunettes, son visage au repos révélait une innocence, un bonheur, que personne ne pouvait soupçonner et qui me touchait beaucoup. Un jour, je l'avais photographié dans ce moment intime d'abandon et le tirage, ensuite, l'avait surpris. « C'est moi, ça ? — Oui, Jean-Luc, c'est toi. »

— Debout, les loirs !

Jean-Luc avait ouvert les volets de la petite terrasse et le soleil de mai illuminait notre chambre. Il déposa sur le lit un plateau avec un bol de Nescafé et une tartine de pain qu'il avait soigneusement beurrée. Je n'avais aucune envie de me lever et m'enfouis dans les oreillers. Mais je devinais ce qu'il avait ensuite jeté sur le lit : toute la presse du jour. C'était devenu un rituel, le plateau du petit déjeuner servi par Jean-Luc et les quotidiens qui l'accompagnaient. Lui était levé depuis longtemps et débordait d'énergie. Il avait pris un café et des croissants au bar le plus proche en feuilletant attentivement les journaux. Lecture sans laquelle il n'envisageait pas de commencer une nouvelle journée. D'ailleurs, la marchande qui se trouvait en bas de notre immeuble, vendant aussi de la papeterie et quelques livres, l'avait aussitôt pris en amitié et avait décrété qu'il était son meilleur client. En plus des quotidiens, Jean-Luc lui achetait toutes les revues au fur et à mesure de leur parution, des stylos bille, des crayons feutres, des gommes, des cahiers et des rames de papier. « Ah, monsieur Godard, aussi connu que vous l'êtes et rester aussi gentil et aussi modeste ! » aimait-elle lui dire. Bientôt, elle nous garderait nos clefs, nos paquets, et prendrait même nos messages.

— J'ai dit : debout les loirs !

J'ouvris enfin les yeux, gagnée par sa bonne humeur et par la pièce baignée de lumière. Bien installée contre les oreillers, le bol de Nescafé à la main, je vis qu'il y avait aussi un transistor.

— Je viens de l'acheter. On ne peut plus se passer d'écouter Europe numéro 1 et Radio Luxembourg, leurs journalistes sont formidables, ils se faufilent partout. Ce sont eux qui vont nous apprendre ce qui se passe !

— Dans ce cas, un deuxième bol de Nescafé.

Ce que nous ne savions pas, c'était que des milliers de Français avaient eu le même réflexe et que d'ici peu le pays connaîtrait sa première rupture de stock de transistors. Jean-Luc revint avec un nouveau Nescafé, puis m'informa que je devais le laisser travailler. À quoi, il ne me le dit pas. Et je fis alors une découverte stupéfiante : à la une de tous les quotidiens s'étalait le portrait de Dany, mon camarade anarchiste de Nanterre, celui qui voulait faire de moi une militante révolutionnaire tout en me draguant dans les couloirs en hurlant : « Solidarité des Rouquins ! » Un Dany joyeux, solaire, qui appelait à la mobilisation générale. En lisant les nombreux articles qui lui étaient consacrés, j'appris qu'il était le leader du récent mouvement du 22 mars, à Nanterre, et qu'il devait comparaître devant la justice avec sept autres étudiants. Et dire que je les avais pris, Dominique, Jean-Pierre et lui, pour les Pieds nickelés !

Je descendis pour faire part de ma découverte à Jean-Luc et il fut presque aussi surpris que moi. S'il ne l'avait jamais rencontré, il se souvenait très bien de ce que je lui en disais. Il m'avait même demandé de lire dans *La Chinoise* un tract appelant au boycott des examens, « causes de névroses et de frustrations sexuelles ». Tract signé « les Anarchistes » et qui pouvait passer, selon lui, pour maoïste.

Un peu plus tard, la radio nous apprit que quatre manifestants du 3 mai venaient d'être condamnés à la prison ferme. Dany n'en faisait pas partie.

Je ne tournais qu'après le déjeuner et rejoignis l'équipe de *La Bande à Bonnot* à la pause. Certains commentaient avec passion ce qu'ils avaient entendu ou lu dans la presse, d'autres s'en fichaient et quelques-uns ricanaient. Il s'agissait principalement de notre metteur en scène, Philippe Fourastié, de son assistant et de Bruno Cremer. « Tous ces petits cons qui croient faire la révolution », disait l'un. « On voit qu'ils n'ont pas fait la guerre d'Algérie », disait l'autre. C'étaient les seules réponses qu'ils donnaient à Armand, que la révolte des étudiants intriguait beaucoup. Quand le travail reprit, je m'étonnai à voix basse de leur brutal refus de discuter et Armand me répondit sur le même ton mais avec ironie : « Que veux-tu, c'est la bande de Pierre Schoendoerffer, ils ont fait ensemble *La 317e Section.* De vrais mecs, quoi ! » Nous n'en étions pas encore à des rapports agressifs, le travail se poursuivit à un rythme égal à celui de la veille mais quelque chose avait changé, une certaine bonne humeur semblait s'être en partie dissipée.

Le lendemain, le 6 mai, tout s'accéléra.

Dès le matin, on apprit la comparution de Dany et de sept de ses camarades devant la commission disciplinaire de l'université de Nanterre. Des grèves et des manifestations éclatèrent à leur tour dans de nombreuses universités, partout en France. En début d'après-midi, de nouvelles manifestations se formèrent dans le Quartier latin, je ne tournais pas ce jour-là et suivis Jean-Luc. Mêlés à une foule de jeunes gens, nous étions émus d'être là, parmi eux, boulevard Saint-Germain. Au début, on se contenta de slogans confus, plus ou moins repris à l'exception de « Libérez nos camarades ! » qui ralliait tout le monde. Les étudiants chargés du service d'ordre nous encadraient parfaitement en faisant des chaînes le long du cortège et c'était, pour moi, très rassurant. Puis les injures fusèrent de partout contre les policiers, très nombreux et qui semblaient déterminés à ne pas nous laisser gagner un centimètre de terrain. Ils ne tardèrent pas à charger. Alors commencèrent les courses pour leur échapper à travers les rues adjacentes, courses folles, désordonnées, durant lesquelles je découvris à quel point j'avais peur. Une peur qui ne devait jamais me quitter.

Jean-Luc, à l'inverse, n'avait peur de rien. La violence des forces de l'ordre à l'encontre des manifestants le rendait comme fou. Il était le premier à se joindre aux groupes qui se reformaient ici et là et qui à leur tour attaquaient. Il criait plus fort que tous les autres et la grossièreté de ses insultes envers les policiers, les membres du gouvernement et les principaux leaders syndicaux en surprit plus d'un. Moi, je le suivais tant bien que mal, en le suppliant de rentrer à la maison, mais il n'entendait pas. Parfois, à bout de souffle, nous nous arrêtions dans un café pour nous reposer et nous rafraîchir. Aucun n'était fermé, aucun rideau de fer n'avait été baissé. Les commerçants comme les habitants du quartier se disaient indignés par les violences policières et ne manquaient pas de venir en aide aux jeunes gens lorsqu'ils se réfugiaient chez eux.

Lors d'un nouvel affrontement, suivi d'une nouvelle fuite près du Panthéon, rue Soufflot, Jean-Luc se prit les pieds dans une poubelle renversée et s'étala de tout son long sur le trottoir. Je l'aidai à se relever. Il n'était que légèrement étourdi mais les verres de ses lunettes étaient brisés. C'était pour lui la pire des choses : sans ses lunettes, il ne voyait absolument rien. Cela le rendit furieux. Il me réclama un taxi pour rejoindre les Champs-Élysées où se trouvait son fournisseur habituel. Mais quel taxi ? Où ? Sa propre incohérence l'accablait et nous étions là comme deux imbéciles, bousculés par les étudiants qui couraient dans tous les sens. Bientôt arriveraient les forces de l'ordre, il nous fallait d'urgence nous mettre à l'abri. Heureusement, nous n'étions pas loin du 20, rue de Tournon. Je le guidai jusqu'à l'immeuble comme un aveugle, exaspérée par ses plaintes. De façon injuste, je le tenais pour responsable de la peur terrible que j'avais éprouvée et que j'éprouvais encore.

Bambam nous ouvrit et nous fit entrer sans manifester la moindre surprise. Il comprit tout de suite la situation et proposa une solution : Rosier travaillait à côté sa nouvelle collection avec son jeune assistant. Celui-ci roulait en Vespa, il pourrait peut-être atteindre les Champs-Élysées en se faufilant entre les manifestants et les policiers. En somme, il ne s'agissait que de gagner la rive droite et de revenir rive gauche.

Le jeune assistant écrivit l'adresse de l'opticien, prit la paire de lunettes et promit de faire au mieux. « Prévois deux paires ! » lui cria Rosier tandis qu'il dévalait les escaliers. Et se tournant vers Jean-Luc :

— Cet incident risque de se reproduire, autant être prévoyant.

— Vous appelez ça un incident, vous !

— Oui, Jean-Luc, ce n'est qu'un incident. Maintenant, calmez-vous, installez-vous sur le canapé, je vais nous faire du thé et tout ira bien.

Sur le canapé, j'y étais déjà, occupée à siroter un Coca-Cola que j'étais allée chercher à la cuisine. J'aimais beaucoup cet appartement où je m'étais tout de suite sentie chez moi ; l'hospitalité chaleureuse de Rosier, les meubles modernes, le poétique bric-à-brac des objets où se mêlaient souvenirs de voyages et précieuses trouvailles dénichées chez des antiquaires ; les grandes baies vitrées qui ouvraient sur le ciel et les trois chats, ramassés affamés dans des rues de Paris et qui étaient devenus de gros et affectueux matous. De loin nous parvenaient les sirènes des voitures de police et, plus rarement, celles d'ambulances. Le gros des affrontements devait s'être déplacé du côté de Maubert ou du boulevard Saint-Michel car nous n'entendions plus les slogans. Je m'étais remise de mes frayeurs et pus m'inquiéter de la soudaine fatigue qui s'était abattue sur Jean-Luc. Il répondait à peine aux questions de Bambam et aux propositions diverses de Rosier qui multipliait plaisanteries et jeux de mots pour le faire sourire. Il semblait épuisé et désemparé et ne demandait même pas à écouter la radio.

L'assistant téléphona de chez l'opticien. On ne pouvait pas changer les verres maintenant, les deux paires de lunettes neuves ne seraient pas prêtes avant le lendemain en fin de matinée. L'assistant précisa encore que, s'il avait pu passer rive droite sans trop de difficulté, cela lui paraissait plus complexe de revenir. « Prends ta soirée », lui dit Rosier en se retournant vers nous :

— Vous ne commencez pas à avoir faim ?

— Si !

Jean-Luc s'était redressé. Nous n'avions rien mangé depuis le petit déjeuner, mais beaucoup marché, beaucoup couru.

— Faire la révolution, ça creuse !

Il avait d'un coup retrouvé une partie de sa bonne humeur et un semblant de vitalité. Ses lunettes cassées lui enlevaient maintenant toute velléité d'attaquer les policiers.

— Et vous avez beau être très sportif, vous n'avez plus vingt ans, ne put s'empêcher d'ironiser Rosier.

— Vous non plus, lui renvoya Jean-Luc en souriant.

Il était un peu plus de sept heures du soir, le problème de l'endroit où aller dîner se posa. Personne n'avait envie de rejoindre le Balzar alors que la Sorbonne était plus que jamais protégée par les forces de l'ordre. Nous ignorions où se déroulaient les combats de rue. De la terrasse sur le toit, nous vîmes que la rue de Tournon paraissait calme.

— La Méditerranée, à côté du théâtre de l'Odéon ? proposa Rosier. Il est encore un peu tôt, mais je suis sûre qu'ils nous serviront.

Bambam toussota nerveusement.

— Euh, tu y es déjà allé ? demanda-t-il à Jean-Luc.

— Non. Mais pourquoi pas ?

J'avais entendu parler de ce restaurant par François et Claude Mauriac qui adoraient y souper et qui faisaient partie, disaient-ils, des habitués. À ce titre, c'était pour moi un endroit mythique comme l'avait été et l'était toujours le bar du Pont Royal à cause de Sartre et des *Temps modernes*.

Le restaurant était encore plus beau que je ne me l'étais

imaginé, très chic. Je m'émerveillais devant les fresques peintes sur les murs, les photos de célébrités. Jean-Luc, qui ne distinguait pas tous ces détails, flaira quelque chose qui le rendit méfiant.

— Je ne crois pas que c'est mon genre, dit-il.

— Genre ou pas genre, on n'avait pas beaucoup le choix, répondit Bambam sur un ton conciliant.

D'un geste de la main, il me fit signe de cesser d'exprimer mon enthousiasme devant une photo du splendide Jean Marais avec Jean Cocteau. Mais je trouvais très cocasse ce qui nous arrivait. Jean-Luc n'était en rien gourmand et mangeait pour se nourrir. Plus le restaurant était moche, plus il l'appréciait. C'était uniquement pour me faire plaisir qu'il avait changé ses habitudes, davantage fréquenté les brasseries et finalement adopté le Balzar.

Seul un couple dînait : un homme âgé et une femme qui l'était moins, très maquillée, les cheveux teints en blond platine et coiffés en un invraisemblable chignon. Le restaurant était vide, nous faisions tous les six un curieux assemblage. Jean-Luc finit par repérer le couple et ce qu'il en vit lui arracha un méprisant « Une pute et son vieux ». Commentaire que choisirent d'ignorer Rosier et Bambam. Des serveurs nous entourèrent et commande fut passée.

Le dîner se déroula dans une atmosphère tendue. Nous entendions de nouveau les sirènes de police, de lointaines explosions et les cris des étudiants. C'était encore confus mais il nous semblait que les combats de rue se rapprochaient. Jean-Luc redevint très nerveux, il maudissait ses lunettes cassées et reprochait à Rosier de nous avoir entraînés dans un restaurant trop luxueux alors que nous aurions dû être dans la rue, auprès des étudiants. Sa mauvaise foi finit par irriter le pacifique Bambam qui lui en fit calmement le reproche.

Un groupe de jeunes gens brandissant des drapeaux rouges envahit soudain le parvis du théâtre de l'Odéon et, après quelques secondes d'hésitation, se rua rue Racine, en direction du boulevard Saint-Michel. Pour la première fois nous entendîmes deux nouveaux slogans, « Ce n'est qu'un début, continuons le combat ! » et « CRS, SS ! ». Au passage, ils renversèrent les jardinières de fleurs devant La Méditerranée et donnèrent quelques coups dans la baie vitrée du restaurant comme pour réveiller ceux qui s'y trouvaient. Il n'y eut aucun bris de glace, mais le couple attablé de l'autre côté se leva effrayé, prêt à se réfugier dans les cuisines. Le parvis devant le théâtre redevenant calme, le couple se rassit. Lui tremblait à la fois de peur et de colère. Une colère qu'il exprima à haute voix, nous prenant à témoin :

— Sales petits cons ! Sales petits cons ! Qu'on les flanque tous en prison avec leur révolution !

« Ouille ! » pensai-je en voyant Jean-Luc blêmir.

— Sale con vous-même ! cria-t-il. Sale vieux con !

L'homme, indigné et furieux, se leva. Il chercha d'où venait l'insulte et, en tremblant de tous ses membres, cria d'une voix devenue chevrotante :

— Comment osez-vous ? J'ai fait la guerre de 14 et la guerre de 40, moi, monsieur !

— Si vous êtes encore vivant, c'est que vous étiez un planqué, sinon vous seriez mort comme des milliers d'autres ! Un planqué, voilà ce que vous êtes, monsieur, un planqué !

L'homme s'en étouffait et, tout en jurant comme un charretier, réclamait de l'aide auprès des garçons et du maître d'hôtel. C'était visiblement un habitué et très vite on l'entoura. Pendant ce temps, Rosier s'était empressée de demander l'addition et de payer. Nous avions compris qu'il était plus que temps d'arracher Jean-Luc à cette stupide querelle. Nous allions quitter le restaurant quand Jean-Luc se retourna et rejoignit le couple.

— Bouffez, vieux con, buvez, vous n'en baiserez pas mieux votre vieille langouste, dit-il en désignant du doigt la malheureuse dame blonde.

Bambam revint sur ses pas et l'entraîna dehors.

— C'est indigne de toi, dit-il. Indigne !

Rosier, elle, semblait sur le point d'exploser. Moi, j'étais au bord des larmes devant cette haine qui surgissait parfois d'une part très sombre de Jean-Luc, sans raison, sans explication. J'avais envie de m'enfuir, d'aller me réfugier n'importe où, même chez ma mère. Mais je ne pouvais l'abandonner sans lunettes alors que les forces de l'ordre et les manifestants se poursuivaient, se battaient partout dans le Quartier latin.

— On va les raccompagner chez eux, dit Bambam. On ne peut pas laisser cette seule responsabilité à Anne.

— Sans moi, répondit Rosier, j'en ai assez entendu pour la soirée. Mais tâchez de ne pas trop traîner, je n'ai pas, en plus, envie de m'inquiéter pour vous.

Et elle tourna les talons, sans un mot, sans un geste d'amitié. Je n'eus pas le temps de m'étonner une fois de plus du fait que Bambam et Rosier, après plusieurs années de vie commune, se vouvoyaient que Bambam, tel un chef de guerre, nous désigna la direction du Balzar.

— Les affrontements n'ont pas l'air de se passer là. Essayons...

Il marchait vite, avec assurance, oubliant ses maux de

dos et son flegme habituel. Jean-Luc suivait, silencieux, docile et peut-être regrettant sa violence envers le couple de dîneurs.

Nous croisâmes des groupes de manifestants qui se repliaient momentanément vers le Luxembourg. Ils nous confirmèrent que des combats avaient lieu boulevard Saint-Germain, principalement à la hauteur du carrefour de l'Odéon, et qu'ils étaient violents. Dans l'un de ces groupes se trouvait mon frère Pierre. Il nous vit le premier et vint vers nous, surpris de nous trouver là et de l'étrange visage de Jean-Luc. Bambam, qui le connaissait, lui raconta les lunettes cassées et la nécessité de nous escorter jusqu'à chez nous. Comme il devait s'y attendre, Pierre se proposa de le faire et Bambam put repartir. Je lui fus reconnaissante d'avoir gardé le silence sur l'épisode pénible du restaurant. Pierre aimait et admirait Jean-Luc, je n'avais pas envie qu'on gâche la belle image qu'il avait de lui. Pour l'instant, il s'attendrissait.

— Sans tes lunettes, tu ressembles de plus en plus à Buster Keaton...

— Si ça peut te faire plaisir...

Tandis que nous nous faufilions sans trop de peine en direction de la rue Saint-Jacques, Pierre racontait sa journée. Il avait tout suivi du côté des manifestants en prenant des photos avec le Kodak automatique qu'il portait autour du cou. À mon tour, je lui racontai ma surprise en découvrant dans la presse que le leader du mouvement du 22 mars était Dany, mon copain anarchiste de Nanterre.

— Non ? Le type qui te téléphonait souvent à la maison et à qui je devais toujours répondre que tu n'étais pas là ?

— Oui. Tu te rends compte ?

Pierre en riait de plaisir.

— Je suis fier de ma sœur. Non seulement elle épouse Jean-Luc Godard, mais elle est copine avec un leader révolutionnaire qui a une bonne bouille, en plus !

Mais une très mauvaise surprise nous attendait place Paul-Painlevé. S'il y avait si peu de manifestants rue des Écoles, autour de la Sorbonne et du Balzar, c'est parce que le gros des forces de l'ordre, celles à l'arrière des combats, se tenait prêt boulevard Saint-Germain, au carrefour de la rue Saint-Jacques. Pour rentrer chez nous, il nous fallait les traverser.

Jean-Luc, mis au courant, dans un premier temps refusa, outré. Mon frère lui expliqua qu'il n'y avait pas d'autre solution. « Prends ça comme un jeu. Nous nous infiltrons chez l'ennemi comme Buck Danny chez les Japs. » Jean-Luc ne comprit pas l'allusion à l'une de nos bandes dessinées d'enfants préférées, mais l'idée du jeu lui plut.

Pierre aborda poliment les premiers policiers et leur expliqua que nous voulions rejoindre au plus vite notre domicile car, sans ses lunettes, son beau-frère ne voyait plus rien. Les policiers, poliment eux aussi, nous demandèrent nos papiers d'identité. Si Pierre était en règle, Jean-Luc et moi n'avions que nos passeports de citoyens suisses. Nous n'avions pas fait mentionner notre adresse, car au moment de notre mariage nous n'avions aucune idée de l'endroit où nous souhaiterions habiter. Rien n'indiquait que nous séjournions vraiment à Paris, en France.

Il fallut parlementer un long moment avant qu'ils acceptent que nous disions vrai, que l'homme épuisé, comme égaré, et la jeune femme qui semblait être son épouse puissent bien être le couple célèbre dont Pierre vantait les mérites. De toutes les façons les manifestants étaient loin devant eux, vers le carrefour de l'Odéon, on entendait scandés dans des mégaphones leurs slogans : « Libérez nos camarades ! », « Ce n'est qu'un début, continuons le combat » et « CRS, SS ! ». Nous traversâmes leurs troupes, tandis que les policiers se transmettaient la consigne : « Qu'on les laisse passer. » Nous avancions parmi eux, impressionnés par leur nombre. Leurs casques, boucliers et matraques les transformaient en guerriers de façon très réaliste, assez effrayante, et nous n'en menions pas large. À des degrés divers nous étions tous les trois humiliés de devoir sourire, remercier, bref, montrer patte blanche. Néanmoins, je dois avouer que j'étais soulagée de ne pas participer aux combats de rue, de n'être plus terrorisée comme je l'avais été dans l'après-midi, de me réfugier à la maison.

Nous allions enfin sortir de leurs rangs quand un autre policier demanda à voir nos papiers d'identité. Heureusement, un ordre parvint répercutant la consigne et il nous rendit nos passeports suisses. « Allez dès demain à l'ambassade de manière à régulariser votre situation. Vous n'aurez pas une autre fois la chance que vous avez eue aujourd'hui. » Il avait l'air hargneux et déçu de ne pas nous coffrer. Nous étions à peine sortis et libres que Jean-Luc murmura : « Hou, le méchant ! » Il se retourna et fixa le policier comme pour ne jamais oublier ses traits, ce qui était une fanfaronnade puisqu'il ne pouvait les distinguer, et murmura encore à son intention : « On se reverra ! » Mais entraîné par Pierre et moi, il se laissa mener vers notre immeuble.

De retour chez nous, Pierre demanda nos passeports, un stylo et de l'encre de la même couleur que celle qui avait inscrit nos noms et lieux de naissance. « Inutile que vous perdiez votre temps à l'ambassade. Je vais faire un faux et personne n'y trouvera à redire. » J'étais confiante car je connaissais les talents de mon frère dans ce domaine, et Jean-Luc amusé, comme chaque fois qu'il s'agissait d'escroquer quelqu'un. À la suite de cela, nous pûmes circuler à notre aise à Paris, en Suisse et dans le monde entier.

Puis, Pierre nous quitta pour rejoindre la rue François-Gérard. « J'ai juré à maman que je serais de retour à la nuit tombée », expliqua-t-il soudain de mauvaise humeur et comme pour sauver son honneur de jeune homme qui venait d'avoir dix-neuf ans : « Mais ça va changer ! »

La journée, en effet, s'achevait. Dans les jardins de l'église Saint-Séverin, les oiseaux célébraient la venue de la nuit, indifférents aux forces de police massées au carrefour. Jean-Luc s'allongea sur l'un des deux divans, moi sur l'autre, le transistor allumé, branché sur Europe numéro 1. Grâce à la radio, nous eûmes plus de détails sur le déroulement des événements.

La manifestation avait débuté dans le calme avec en tête Dany Cohn-Bendit, Alain Geismar, secrétaire général du SNESup, et Jacques Sauvageot, le président de l'UNEF. Les affrontements commencèrent sans que l'on sache qui en était à l'origine. Les étudiants accusaient les forces de l'ordre qui les accusaient, eux. Pour la première fois on entendit parler d'« éléments incontrôlables » qui se seraient glissés dans le cortège pour y semer le désordre. Des étudiants interviewés parlaient de « provocateurs manipulés par la police ». Le journaliste raconta comment, face aux violences policières, les étudiants jusque-là non politisés étaient à leur tour descendus dans la rue. Nous comprenions le sens du nouveau slogan : « Ce n'est qu'un début, continuons le combat ! » Ils marchaient maintenant tous ensemble. Le journaliste en parlait de façon exaltée : quelle victoire pour eux ! Quel échec pour le gouvernement !

Le journaliste passa brusquement le relais à un de ses confrères qui se trouvait place Denfert-Rochereau où une masse de jeunes gens s'étaient regroupés et dressaient des barricades comme ils l'avaient fait, en fin de journée, dans le Quartier latin. Les forces de l'ordre accourues sur les lieux attaquèrent aussitôt. Mais les étudiants, maintenant mieux organisés derrière leurs barricades, ripostèrent en lançant des pavés, des poteaux de signalisation, des poubelles enflammées, tout ce qui leur tombait sous la main. Leurs cris, les sommations policières, les fracas des pavés contre les boucliers, les explosions et les premières sirènes d'ambulance nous parvenaient comme si nous y étions. Grâce à ce journaliste qui commentait ce qu'il voyait, courant d'un endroit à l'autre, à la fois pour se protéger et pour demeurer au centre des affrontements, nous vivions en direct cette première vraie nuit de violences à Paris.

Lors d'un des rares moments d'accalmie, un autre journaliste du studio d'Europe numéro 1 annonça que le bruit courait que le gouvernement souhaitait ouvrir des négociations avec les principaux leaders du mouvement étudiant. Il repassa l'antenne à son confrère qui se trouvait place Denfert-Rochereau et qui avait réussi à brièvement interviewer Dany. Celui-ci ne répondit pas sur le bien-fondé ou non de cette rumeur mais affirma qu'il ne pouvait y avoir de négociations avant la remise en liberté de leurs camarades emprisonnés et le retrait total des forces de l'ordre du Quartier latin et, bien entendu, de la Sorbonne.

C'était étrange d'entendre le Dany de l'année dernière s'exprimer en leader, avec la même voix, la même fougue et la même conviction ; d'être immédiatement d'accord avec ce qu'il disait alors que j'avais choisi de tourner le dos au monde universitaire. J'imaginais Dominique et Jean-Pierre près de lui. Comment avais-je pu passer complètement à côté de ces trois-là ?

La nuit était tombée depuis longtemps et l'appartement demeurait dans l'obscurité, quand Jean-Luc proposa de monter nous coucher. Sans allumer une seule lampe, sans faire la moindre toilette. Le transistor éteint, nous restions allongés l'un contre l'autre dans le lit, à attendre le sommeil qui ne venait pas. Je devinais Jean-Luc agité par mille pensées, je l'étais aussi, mais aucun de nous deux ne les exprimait, comme si après une telle journée nous ne pouvions que nous taire.

— Debout, les loirs !

La phrase habituelle de Jean-Luc fut suivie d'un monstrueux mugissement qui me tira aussitôt du sommeil.

— J'ai dit : debout les loirs, celui du bas comme celui du haut !

Je me rappelai avec irritation que, pour la deuxième nuit consécutive, Jean-Jock dormait en dessous, dans le salon. Lors de la première, c'était Jean-Luc qui l'avait invité au retour de la grande manifestation de la place Denfert-Rochereau à l'Étoile. Dès qu'il nous avait vus, il avait aussitôt quitté son groupe de camarades pour se joindre à nous. Les nouvelles toutes fraîches qu'il avait récoltées auprès des lycéens sur le point, eux aussi, de se mettre en grève avaient enchanté Jean-Luc. Il voyait en Jean-Jock un trait d'union entre lui et les jeunes et continuait à l'appeler affectueusement « mon commissaire politique ». J'étais plus dubitative : j'avais un an de plus que lui et je me méfiais de ceux de mon âge, du flou bavard de leurs discours. Toutefois, j'avais été assez séduite par la gaieté de Jean-Jock et son répertoire illimité de chants révolutionnaires. Sa présence à nos côtés contribuait à apaiser le malaise purement physique que j'éprouvais au milieu d'une telle foule. De même, retrouver tout à coup des personnes que je connaissais, des gens de cinéma et de théâtre, acteurs, metteurs en scène ou techniciens, m'aidait à comprendre que le mouvement étudiant prenait de l'ampleur et gagnait d'autres couches de la société. J'allais vers eux avec joie tandis que Jean-Luc gardait une certaine distance, comme cela lui arrivait souvent.

Nous étions rentrés rue Saint-Jacques épuisés par ces heures de marche et, comme Jean-Jock s'était plaint d'avoir à peine dormi la veille, Jean-Luc lui avait proposé de passer la nuit chez nous. Cela m'avait un peu contrariée mais je m'étais fait une raison.

Le lendemain matin, je m'étais levée tôt pour rejoindre le tournage de *La Bande à Bonnot*, laissant Jean-Jock profondément endormi sur le divan. Il n'avait enlevé que ses chaussures et sa veste qui traînaient au milieu de la pièce.

La journée avait été difficile car la tension montait entre les différents membres de l'équipe, entre ceux que les événements des derniers jours passionnaient et ceux qui les méprisaient. J'avais appris alors qu'il en était de même sur la plupart des films en cours et que sur notre tournage, comme ailleurs, certains commençaient à évoquer la possibilité de se mettre en grève. Je n'y avais pas pensé auparavant, mais l'idée m'avait plu et je m'étais aussitôt rangée aux arguments d'Armand qui parlait de « solidarité avec les étudiants ». Cela nous avait attiré les foudres du premier assistant et de Bruno Cremer, les anciens de *La 317e Section*, comme les surnommait désormais Armand. Philippe Fourastié, lui, voulait mener son film à terme et cette volonté décuplait son énergie. Il taisait ses opinions, tentait de calmer les esprits en feignant une bonne humeur et une insouciance qu'il était loin d'éprouver.

Sans me laisser impressionner par les sarcasmes de Bruno Cremer et du premier assistant, j'avais raconté en détail les violences policières du 6 mai et la grande manifestation de la veille. Cela n'avait pas intéressé Jacques Brel, même s'il avait paru m'écouter avec attention. Quant à Annie Girardot, qui avait des problèmes de cœur que j'ignorais, elle haussait les épaules ou se contentait de répondre avec un fort accent français de titi parisien : « *The show must go on.* » Seul Jean-Pierre Kalfon avait parlé avec enthousiasme de ce qu'il croyait savoir du mouvement étudiant, mélangeant tout, révolution, sexe, drogue, musique. Entre les prises, il jouait de la guitare en fumant un joint comme je l'avais vu faire sur *Les Gauloises bleues.* Qu'il surenchérisse de cette façon à mes propos avait déclenché le fou rire de Bruno Cremer mais achevé de mettre en colère le premier assistant qui m'avait ordonné de me taire. Je ne devais pas revenir sur le tournage avant plusieurs semaines et il accueillit l'annonce de mon départ par un « Bon débarras ! » suivi d'un « Va jouer à la révolution ailleurs, petite conne ! ».

J'avais retrouvé Jean-Luc pour dîner dans son restaurant préféré, Les Balkans, à l'angle de la rue Saint-Jacques et du boulevard Saint-Germain. On n'y mangeait pas bien, ce n'était pas cher et essentiellement fréquenté par des étudiants. Je n'aimais pas cet endroit mais, après plusieurs Balzar et l'expérience calamiteuse de La Méditerranée, je n'avais pas cherché à protester.

Tout de suite, il m'avait annoncé avec enthousiasme que les lycées de France, les uns après les autres, se mettaient officiellement en grève. Je lui avais raconté ce que j'avais vu et entendu durant la journée, les rumeurs qui couraient à propos de grèves possibles sur les différents tournages en cours. Il n'y croyait pas.

— Comment veux-tu intéresser des gens de cinéma ? Ils ne pensent qu'à leurs films, un point, c'est tout.

Je lui avais rappelé la forte mobilisation autour du renvoi d'Henri Langlois et de la fermeture de la Cinémathèque. Il avait pris son ton de maître d'école pour décréter que cela n'avait rien à voir et il était aussitôt revenu sur le sujet qui lui tenait à cœur. Son ami Charles prévoyait que les ouvriers à leur tour rejoindraient le mouvement. Son ami Charles ? Quel ami Charles ? Jean-Luc m'avait alors rappelé qu'il l'avait rencontré au début de l'année. Mon air étonné l'exaspéra. Il reprit ce ton de maître d'école qui, à mon tour, m'exaspéra :

— Je t'en avais parlé, à l'époque. C'est de loin l'étudiant le plus intelligent que je connaisse. Je l'avais rencontré en fréquentant des membres de l'UJCML. Charles n'est pas exactement un militant maoïste, mais un proche, un sympathisant très actif.

— L'UJC... quoi ?

— L'UJCML, Union des jeunesses communistes marxistes-léninistes. Tu es casse-pieds d'oublier systématiquement ce qui touche à la politique. Je te signale que c'est toi qui m'avais trouvé le camarade X dans *La Chinoise.* Omar Diop, l'ami de ton ami Antoine Gallimard, est membre de l'UJCML. Au fait, que devient Antoine ?

— Je ne sais pas.

À l'évocation d'Antoine une sorte de tristesse me submergea. La vie que nous menions depuis notre mariage et qui m'avait si souvent éloignée de Paris m'avait aussi éloignée de mes amis d'enfance et d'adolescence. Je comprenais soudain qu'on se séparait très vite de ceux qui nous étaient chers et que, tout aussi vite, d'autres liens se formaient, ainsi Rosier et Bambam. Et Nathalie ? Que faisait Nathalie ? Jean-Luc et moi l'avions revue à New York lors d'un bref voyage, elle devait passer son bac au lycée français et puis plus rien. Mes sentiments avaient attendri Jean-Luc.

— Vingt ans, c'est pas l'âge où les chemins se séparent ? Où chacun s'en va de son côté ?

— C'est ce qui t'est arrivé au même âge ?

— Non. À l'inverse de toi, je n'ai jamais eu d'amis.

Cette confidence à laquelle je ne m'attendais pas accentua ma tristesse. Jean-Luc me caressa la joue.

— Ne fais pas cette tête de cocker puni. Maintenant, je t'ai toi et j'ai en plus des camarades de lutte.

Cette dernière phrase m'avait troublée : étions-nous vraiment sur le même plan, moi et ses mystérieux « camarades de lutte » que je ne connaissais pas ? N'étais-je pas bien plus importante qu'eux ? J'avais failli lui poser la question, mais pour d'obscures raisons je m'étais tue. La peur de lui paraître trop sentimentale ?

Aux alentours de minuit, la sonnerie du téléphone nous avait réveillés dans notre premier sommeil. C'était Jean-Jock qui s'annonçait à nouveau, il serait là dans cinq minutes. Jean-Luc avait enfilé un peignoir et était descendu lui ouvrir. J'étais furieuse, avec l'envie de descendre à mon tour et de le mettre illico à la porte. Notre appartement n'était pas un hôtel et, quand j'avais fait part à Jean-Luc de mon indignation, il m'avait tourné le dos et s'était aussitôt rendormi. J'avais rageusement avalé un comprimé d'Imménoctal.

Et c'était la voix de Jean-Jock que j'entendais pendant que j'achevais mon premier bol de café noir. Sa voix de stentor chantait à tue-tête :

Comme faucheurs rasant un pré
Comme on abat des pommes,
Les Versaillais ont massacré
Pour le moins cent mille hommes.
Et les cent mille assassinats
Voyez c'que ça rapporte.
Tout ça n'empêche pas, Nicolas,
Qu'la Commune n'est pas morte !

— Assez !

En entendant mon hurlement, Jean-Jock se tut. Mais tout de suite après, sa tête surgit en haut des quelques marches qui montaient à notre chambre. Il se composa une expression déçue.

— Ben quoi ? Tu n'aimes pas mon aubade révolutionnaire du matin ?

Et sans me laisser le temps de répondre :

Ils ont fait acte de bandits
Comptant sur le silence,
Ach'vé les blessés dans leurs lits
Dans leurs lits d'ambulance.
Et le sang inondant les draps,
Ruisselait sous la porte.

Il ressemblait plus que jamais à un personnage de Walt Disney et cela me désarma. À qui me faisait-il penser ? Au chien Pluto ? Jean-Jock dut sentir mon changement d'humeur.

— Tu vas reprendre le refrain avec moi.

Tout ça n'empêche pas, Nicolas,
Qu'la Commune n'est pas morte !

Mais ce fut Jean-Luc qui le rappela à l'ordre : la veille, Jean-Jock lui avait promis de le conduire dans différents établissements scolaires où les lycéens se réunissaient en AG. Ils partirent aussitôt sans me demander si je désirais les accompagner. J'avais la matinée rien que pour moi, je pouvais paresser tout le temps que je voulais au lit, écouter les Beatles, Charles Trenet, Joan Baez et Bob Dylan !

Le philosophe Gilles Deleuze était depuis longtemps le meilleur ami de Bambam. Il vivait et enseignait à Lyon et faisait de fréquents allers-retours avec Paris. Ainsi, ce jour-là, ce vendredi 10 mai, devait-il reprendre le train à onze heures du soir, après un dîner où Jean-Luc et moi étions conviés.

Nous l'avions déjà rencontré à quelques reprises, toujours chez Rosier et Bambam. Jean-Luc et lui avaient d'étranges rapports. On aurait dit qu'ils s'observaient tels deux chats méfiants alors que nous savions qu'ils s'admiraient et que chacun de son côté disait du bien de l'autre. Mais une fois réunis le dialogue entre eux s'avérait laborieux. À moi, Jean-Luc justifiait sa réserve à l'égard de Gilles Deleuze en lui reprochant son côté ouvertement « dandy ». Ce dernier avait la singularité d'entretenir des ongles très longs et ne manquait jamais de rappeler à qui s'en étonnait qu'il agissait en cela comme Pouchkine, qu'on pouvait y voir une sorte d'hommage. Jean-Luc ne comprenait pas le rapport entre le poète russe que nous aimions tant et ce qu'il comparait à « des griffes répugnantes ». Mais, ce soir-là, ils se réjouissaient ensemble du début, à Paris, des pourparlers de paix entre les Américains et les Vietnamiens comme des événements de la journée et de ce qui semblait s'annoncer pour la nuit.

Un peu auparavant, mon frère Pierre m'avait appelée, rue Saint-Jacques. Il était très excité par la première manifestation des lycéens à laquelle il avait participé ainsi que des centaines d'autres. Selon le mot d'ordre, tous les lycéens grévistes devaient partir de leurs lycées respectifs et converger vers la place Denfert-Rochereau, point de ralliement de leur manifestation. Jean-Luc avait pris l'écouteur pour suivre le récit de Pierre. « Demande-lui s'ils étaient encadrés par un service d'ordre étudiant, par des politiques. — Non, non, non. Nous étions entre nous, autonomes, avec même des dix, douze ans », avait-il répondu. Puis, plein d'espoir : « Si ça se trouve, nous leur ferons supprimer le bac ! » Pierre passait le sien dans un mois et demi. Un long bâillement s'était ensuivi : « Ces heures de marche dans Paris m'ont lessivé. Je vais regarder *Metropolis* à la télé, et s'il se passe quelque chose ce soir je ressortirai. » Pierre avait cité le film de Fritz Lang parce qu'il savait à quel point Jean-Luc l'admirait et qu'il voulait lui montrer sa bonne volonté d'apprenti cinéphile. S'il avait su à quel point Jean-Luc maintenant s'en fichait…

Aux environs de huit heures, à peine arrivés rue de Tournon, nous avions avec Rosier, Bambam et Deleuze allumé le transistor et écouté Europe numéro 1. Dany y lançait un appel : « Puisque la police occupe la Sorbonne, occupons le Quartier latin ! » Cela signifiait que des milliers de personnes allaient affluer de partout. Comment réagiraient les forces de l'ordre ? Que se passerait-il ensuite ?

Le dîner préparé par Rosier fut avalé rapidement. Deleuze craignait de ne pas pouvoir atteindre la gare de

Lyon et de rater son train. Ils partirent tous trois plus tôt que prévu. Jean-Luc et moi restâmes seuls dans l'appartement à nous demander ce que nous devions faire, qui rejoindre. Jean-Luc tenta en vain d'appeler Jean-Jock, le dénommé Charles et d'autres gens dont j'ignorais l'existence. De mon côté, j'appelai mon frère. Ce fut notre mère qui répondit. Ils avaient tous deux écouté l'appel de Dany et Pierre était parti aussitôt vers le Quartier latin. En fait, notre mère mentait. Pierre s'était endormi avant le début de *Metropolis*, elle s'était bien gardée de le réveiller pensant ainsi le protéger contre ce qui pouvait s'annoncer comme une nouvelle nuit d'émeutes.

Une nouvelle nuit d'émeutes ? Cela n'en avait pas l'air. Quand nous quittâmes l'appartement de la rue de Tournon, il faisait encore jour, une atmosphère de fête régnait dans Paris. Répondant à l'appel de Dany, une foule de personnes envahissait le Quartier latin. Des étudiants et des lycéens, bien sûr, des sympathisants de toute sorte et beaucoup de curieux. Certains étaient venus en famille. On déambulait boulevard Saint-Germain et boulevard Saint-Michel, rendant impossible la circulation des voitures. Il faisait beau, les terrasses des cafés étaient prises d'assaut, des marchands de glace ambulants avaient fait leur apparition.

Jean-Luc et moi suivions les mouvements de cette foule sereine et joyeuse, gagnés à notre tour par cette liesse bon enfant. On en aurait presque oublié les conflits en cours et les forces de police, d'ailleurs totalement absentes.

Parfois, il nous arrivait de rencontrer des amis qui travaillaient dans le cinéma et nous nous attardions un moment pour échanger nos impressions, pour bavarder. Jean-Luc était devenu plus aimable, plus disponible : cette foule si mélangée l'amusait.

Je lui présentai deux copines de Sainte-Marie que je n'avais jamais revues depuis la fin de notre dernière année scolaire. Selon une ancienne habitude, Jean-Luc les interrogea sur leurs projets d'avenir et sur leurs parents. L'une allait se marier et se voyait mère de plusieurs enfants, l'autre ne savait pas, hésitait entre de vagues études de lettres ou une école de journalisme. Quant à leurs parents, ils étaient résolument à droite. À sa question : « Mais alors, que faites-vous ici au milieu des étudiants et des lycéens gauchistes ? », elles répondirent : « Rien, on vient voir, c'est tout. »

Aux alentours de onze heures, l'atmosphère commença à changer. Les groupes de curieux s'en allèrent comme ils étaient venus, spontanément, sans se concerter. Les grilles de protection des cafés se fermèrent, les marchands de glace disparurent. Nous retrouvions peu à peu l'ambiance tendue de ces derniers jours et la présence nombreuse de journalistes à pied ou à moto nous le confirma. Quelque chose de menaçant se préparait, c'était évident, inévitable. Prise de frayeur, je voulus regagner l'appartement de la rue Saint-Jacques mais Jean-Luc s'y refusa fermement.

Vers minuit, rue Soufflot et rue Gay-Lussac, des bandes de jeunes dépavaient et des barricades se dressaient ici et là à une allure folle. Les jeunes étaient très nombreux et semblaient déterminés à s'organiser pour la lutte. Beaucoup avaient le visage masqué par un foulard. Place Edmond-Rostand, d'autres jeunes, aussi, dépavaient les rues. Ils formèrent très vite une chaîne pour approvisionner les barricades. Les pavés passaient de main en main à un rythme très soutenu, dans un silence impressionnant. Seuls quelques ordres brefs étaient lancés auxquels tous obéissaient. Aucune contestation mais une discipline quasi militaire. Des sympathisants comme nous hésitaient à se joindre à eux.

Quelqu'un appela Jean-Luc. C'était Jean-Pierre Léaud, l'air un peu égaré, qui se trouvait en compagnie de Chris Marker et de la petite équipe technique de ciné-tracts qui rendaient compte au jour le jour des événements depuis le début du mois de mai. Jean-Luc, qui admirait leur travail, songeait à s'associer à eux et le ferait, d'ailleurs, un peu plus tard. Pour l'instant, Chris Marker et lui échangeaient une fraternelle poignée de main. Ils s'interrogeaient sur ce qu'il convenait de filmer en urgence, quand des étudiants nous demandèrent de nous joindre à la chaîne ou de rentrer très vite chez nous : les forces de police n'allaient pas tarder à donner l'assaut, la situation devenait de minute en minute plus dangereuse.

Les forces de police ?

Elles étaient là, massées derrière les grilles du jardin du Luxembourg. Elles ne bougeaient pas, se taisaient, nous épiaient. Depuis combien de temps ? Nous ne les avions pas entendus se regrouper. Seuls leurs casques et leurs boucliers qui luisaient dans la nuit signalaient leur présence. C'était terrifiant, je voulus m'enfuir en courant tant qu'il en était encore temps. Mais Jean-Luc faisait déjà partie de la chaîne et je le rejoignis, suivie par Jean-Pierre.

Les pavés continuaient à passer de main en main. Jean-Luc et moi faisions de notre mieux pour suivre ce rythme infernal. Or cette belle mécanique cessa vite de fonctionner : Jean-Pierre, entre chaque pavé, essuyait ses mains avec un mouchoir qu'il tenait serré entre ses dents. On l'éjecta en le traitant de saboteur. Parfois, certains quittaient la chaîne pour se reposer une minute, aussitôt remplacés par un des nombreux sympathisants ou curieux qui se trouvaient encore place Edmond-Rostand. J'aperçus Valérie Lagrange et quittai la chaîne à mon tour.

Valérie Lagrange était une très belle jeune femme, actrice, chanteuse, que j'avais rencontrée lors du tournage de *Week-end*. Nous n'avions pas eu le temps de faire vraiment connaissance mais elle m'avait beaucoup plu. Elle était aussi effrayée que moi par ce qui se préparait.

Un photographe du groupe de Chris Marker nous prit en photo. On m'y voit de profil, avec la ravissante parka grise dessinée par Rosier, que je portais tous les jours, à cette époque. Valérie, de face, a une chemise roumaine brodée à la mode hippie. Nous fumons chacune une cigarette. Autour, des silhouettes floues s'agitent dans la nuit. Sur nos visages une même tension, une même attente de l'inévitable. Cette photo, je l'ai toujours. Elle a été prise quelques secondes avant l'attaque des forces de police.

L'attaque fut massive. Les portes du jardin du Luxembourg s'ouvrirent d'un coup, libérant des centaines de policiers, la matraque levée. Ceux d'entre nous qui se trouvaient le plus près tombèrent les premiers sous leurs coups. Les étudiants avaient aussitôt quitté la chaîne pour rejoindre leurs camarades derrière la première barricade de la rue Soufflot. Jean-Luc m'avait prise par la main et m'entraînait au hasard, vers le boulevard Saint-Michel. Nous étions une trentaine à nous enfuir, affolés, terrorisés. Jean-Pierre Léaud, derrière nous, ne cessait de hurler au secours, demandant aux habitants du quartier de l'abriter. Rue Racine, il tambourina en vain contre la porte fermée d'un hôtel en criant : « Je prends une chambre pour la nuit... Pour une semaine... Pour un mois ! » Rue de Tournon, des policiers en grand nombre s'acharnaient sur des corps déjà à terre et les traînaient de force dans leurs fourgons. Dans plusieurs appartements, des lumières s'étaient allumées et des gens, de leur fenêtre, insultaient les policiers. Leurs cris, comme les hurlements, se perdaient dans un monstrueux tintamarre. On entendait les sirènes des ambulances qui tentaient d'arriver, des explosions et le fracas des pavés contre les boucliers. Jean-Luc et moi courions de plus en plus au hasard, sans nous soucier de Jean-Pierre et Valérie que nous avions perdus près du théâtre de l'Odéon. Sauver notre peau, cela seul comptait.

En dévalant à toute allure les marches de l'escalier de la rue Antoine-Dubois, Jean-Luc glissa, tomba et brisa ses lunettes. Il resta quelques secondes à terre, étourdi par sa chute tandis que je le suppliai, au bord des larmes, de se relever et de s'enfuir. Il finit par retrouver ses esprits et me suivit en s'agrippant à mon bras gauche. Il ne voyait à nouveau plus rien, il s'était fait mal à une jambe et boitait. J'en pleurais de peur, de rage, d'impuissance.

Les combats semblaient se dérouler encore principalement vers le haut, près du Panthéon. Nous prîmes la rue Saint-André-des-Arts. En traversant le boulevard Saint-Michel, je vis un grand nombre de policiers reculer à la hauteur de la rue des Écoles sous les multiples assauts des manifestants maintenant armés de cocktails Molotov. Leur violence avait décuplé celle des étudiants, les galvanisait. Une brise légère ramenait vers nous les fumées des gaz lacrymogènes qui fusaient des rangs dispersés des forces de l'ordre. Les yeux et les sinus en feu, nous prîmes la petite rue de la Huchette. Nous arrivâmes enfin au pied de notre immeuble, juste à temps pour échapper aux nombreuses forces de police qui avançaient en renfort des bords de la Seine.

Ce n'est que lorsque nous reprîmes un peu notre souffle,

écroulés sur les premières marches de l'escalier de notre appartement, à l'abri, les trois verrous tirés, que je me mis à répéter comme une démente que plus jamais je ne revivrais pareils moments, que je ne voulais plus entendre parler de barricades. Jean-Luc me serrait dans ses bras et me jurait que cela ne se reproduirait pas, qu'il ne nous exposerait plus à de tels dangers, quand le téléphone sonna. Il se leva en titubant pour aller répondre. Je l'entendis dire « Oui », « Non », « Je vous la passe ». Il m'appela :

— Ta mère !

Depuis minuit, elle téléphonait sans arrêt chez nous et se disait folle d'inquiétude. Grâce à Europe numéro 1, elle suivait en direct la violence des combats du Quartier latin et m'imaginait blessée, ensanglantée ou pire encore. Ce fut elle qui m'annonça l'heure de l'attaque massive des forces de police : deux heures quinze du matin. Je lui demandai si Pierre était rentré et elle m'avoua son mensonge. « Il est toujours endormi devant la télé éteinte. » Je fus soulagée. Puis elle se laissa aller à un débordement de tendresse à mon égard qui me surprit et me toucha, m'appelant sa « petite fille chérie », son « enfant ». Cela ne nous était pas arrivé depuis si longtemps... Jean-Luc, qui cherchait sans la trouver sa deuxième paire de lunettes, commençait à donner des signes d'impatience. Mais au moment de raccrocher, ma mère, après une hésitation, lâcha tout à trac : « J'aurais aimé être avec vous, me battre aux côtés des étudiants. » La jeune femme héroïque qu'elle avait été durant la guerre et ensuite à Berlin refaisait soudain surface.

Nous ouvrîmes les fenêtres du salon. Au-dessous, rue Saint-Jacques, boulevard Saint-Germain, des ambulances stationnaient, bloquées dans leur avancée par les charges des policiers et les attaques répétées de petits groupes d'étudiants disséminés partout, très offensifs maintenant. Des lueurs d'incendie éclairaient le ciel du côté du Panthéon et de la rue Soufflot.

Des sonneries prolongées à notre porte finirent par nous réveiller. Il faisait jour, le réveil indiquait sept heures trente. « Jean-Jock ! » dit aussitôt Jean-Luc. Il se leva, je voulus l'en empêcher : « Ah, non, pas lui ! Pas encore lui ! — Il doit avoir besoin de nous — On n'est pas ses parents ! » Jean-Luc me repoussa et alla ouvrir. Il y eut un long silence, puis, à mon intention, il cria : « C'est Cournot ! »

J'enfilai à toute vitesse un short et le grand vieux pull rouge en cashmere que Michel avait porté durant tout le tournage de son film et qu'il avait consenti à me donner à la fin tant je l'en avais prié. C'était devenu mon pull fétiche, celui que j'emportais partout quelle que soit la saison.

Jean-Luc avait aidé Cournot à monter les marches qui menaient au salon et l'installait dans le fauteuil. Il agissait avec délicatesse car notre ami était hagard, incapable de dire un mot. Il nous fixait l'un et l'autre comme s'il ne nous voyait pas. Puis, il sembla faire un grand effort sur lui-même et commença à parler d'une voix éteinte, à peine audible.

Comme la plupart des jours de la semaine, il avait quitté sa maison de Sceaux un peu avant sept heures pour se rendre à Paris. Mais en sortant de la station Luxembourg, place Edmond-Rostand, il n'avait rien reconnu du paysage habituel qui s'offrait à lui. Tout était dévasté. Des carcasses de voitures incendiées encombraient la place et les rues adjacentes au milieu de lampadaires au sol, de meubles en partie brûlés et de multiples objets inidentifiables.

Se croyant victime d'une hallucination, il avait mécaniquement pris le boulevard Saint-Michel mais là encore tout semblait dévasté. Beaucoup de cafés et de magasins avaient leurs vitrines brisées, des arbres dont il ne restait plus guère qu'un tronc noirci succédaient à d'autres carcasses de voitures. Les rares personnes qu'il avait croisées paraissaient aussi hagardes que lui. « Et boulevard Saint-Germain, c'était presque le même spectacle. » Il nous fixa avec des yeux suppliants. « J'ai le sentiment d'être fou ou d'avoir pris de l'acide sans le savoir, ou que c'est la guerre. Mais la guerre entre qui et qui ? Pourquoi ? Vous n'habitez pas loin alors je suis venu. Pour que vous me disiez si je suis fou, si j'ai des hallucinations. »

Cournot et sa femme Nella vivaient sans radio et sans télévision. En grand rêveur qu'il était, c'est à peine s'il se tenait au courant de ce qui se passait en France comme dans le monde. Il vivait de cinéma, de lectures et des promenades dans Paris, attentif aux petits riens de la vie. Sa famille, ses rares amis et son travail de critique au *Nouvel Observateur* lui suffisaient.

Au début de son récit, j'avais eu envie de rire. Mais pour avoir vécu deux mois près de lui lors du tournage de son film, j'avais compris très vite qu'il souffrait pour de bon et qu'il croyait vraiment être devenu fou. Alors, je m'étais tue, sensible à la détresse de cet homme que j'aimais tant.

Jean-Luc, à l'inverse, s'amusait beaucoup. Il tentait patiemment, gentiment, de lui raconter ce que nous avions vécu durant la nuit. Cournot refusait d'y croire, pensait que Jean-Luc se moquait de lui. « Tu me fais marcher ! » répétait-il sur un ton de reproche. Alors, seulement, Jean-Luc pensa à allumer la radio.

Le journaliste d'Europe numéro 1 commença le journal

de huit heures avec ces mots : « Ce samedi 11 mai, la France entière se réveille en état de choc et se solidarise avec les étudiants. Leur victoire est totale. » Il dénombra dans Paris au moins soixante véhicules incendiés et annonça le chiffre encore approximatif de trois cent soixante-sept blessés, dont certains grièvement. Pour la première fois, nous entendîmes l'expression « guérilla urbaine ».

— Alors ? dit Jean-Luc sur un ton triomphant.

Cournot ne répondit rien et hocha plusieurs fois la tête sans prononcer un mot. Le téléphone sonna alors, Jean-Luc alla décrocher. Son bureau était quelques marches en dessous, nous pouvions l'entendre s'exprimer en anglais. Au son de sa voix qui montait dans les aigus, nous le devinions de plus en plus furieux. Il finit par nous rejoindre, visiblement très contrarié.

L'appel venait de Londres. La productrice du film sur les Beatles revenait à la charge.

Considérant qu'elle avait perdu beaucoup d'argent avec nous au printemps, elle avait vendu le contrat signé par Jean-Luc à un autre qui avait su convaincre les Rolling Stones. Jean-Luc se retrouvait donc dans l'obligation de tourner avec eux lors de l'enregistrement de leur futur disque, début juin. Cette séquence constituerait une partie seulement du film, à Jean-Luc d'en écrire la suite. Il était catastrophé.

— J'avais complètement oublié cette histoire, ce fichu contrat signé.

J'étais ravie et Cournot enthousiaste.

— Tu vas faire du cinéma ! répéta-t-il plusieurs fois.

— Je ne veux plus faire ce cinéma-là, le cinéma dont tu parles est mort !

Cournot se leva complètement remis de sa peur et comme souvent embrassa Jean-Luc.

— Je ne sais vraiment pas ce que je trouve à un type qui professe de telles conneries !

Puis, il repartit. Ni lui ni moi n'avions pris Jean-Luc au sérieux.

La nuit du 10 au 11 mai précipita la suite des événements. De retour d'Afghanistan, le premier ministre Georges Pompidou fit aussitôt libérer les manifestants emprisonnés en signe d'apaisement. Le 13, la Sorbonne fut rouverte et beaucoup de Parisiens y vinrent en visiteurs curieux, dont ma mère et sa sœur, qui trouvèrent la vieille université à la fois « exotique » et « excitante ». Cela ne servit à rien. Ce même jour, la grève devint générale et scella l'union des syndicats et des étudiants. Une immense manifestation commune eut lieu : deux cent mille personnes défilèrent entre la gare de l'Est et Denfert-Rochereau, avec Dany en tête.

Bambam et moi entourions Jean-Luc qui filmait l'arrivée du cortège avec une caméra Beaulieu 16 mm, debout sur un banc. Parfois, il se faufilait parmi la foule et je le guidais en le tenant par les épaules. Des inconnus le reconnaissaient et l'apostrophaient : « Alors, Godard, tu es des nôtres ? » Quelques-uns tenaient des propos plus agressifs et le traitaient de voyeur et d'imposteur. Lui ne se rendait compte de rien et continuait de filmer. J'étais alors un peu effrayée mais la présence protectrice de Bambam me rassurait. Pour la première fois, la foule ne m'oppressait plus. Elle était joyeuse et pacifique. Beaucoup de gens qui travaillaient dans le cinéma et le théâtre étaient venus, reprenant les slogans lancés par les étudiants et les ouvriers. La présence, très nombreuse, des ouvriers appelant à la solidarité était, pour moi, impressionnante. J'avais enfin le sentiment grâce à eux de comprendre la portée de certains mots qui dans la bouche de mes ex-camarades d'études de Nanterre me semblaient plutôt comiques.

Place Denfert-Rochereau, des garçons et des filles avaient grimpé sur la statue du Lion de Belfort et agitaient des drapeaux rouges en chantant *À bas l'État policier* de Dominique Grange. « Comme cette jeunesse est belle ! » dit Jean-Luc, que cette vision rendait euphorique. Cette fois, je lui donnais raison, je me réjouissais d'en faire partie, d'avoir vingt ans.

Le lendemain, j'en eus vingt et un. Oubliant mon anniversaire, Jean-Luc était parti à une réunion des étudiants des Beaux-Arts, quand on sonna à la porte.

Ce n'était ni Jean-Jock ni Cournot, mais le charmant assistant de Rosier qui me remit une valise en toile. À l'intérieur, il y avait vingt et un cadeaux de Rosier. Le mélange était fantaisiste et lui ressemblait. On y trouvait des vêtements portant sa griffe, des livres, des ustensiles de cuisine, quelques peluches. Un mot exquis et drôle me rappelait que nous dînions chez elle ce même soir. Malgré la désapprobation de Jean-Luc, nous avions décidé en accord avec Bambam d'aller à Cannes soutenir le film de Cournot. Nos trois places d'avion étaient retenues pour le lendemain, en fin de journée. Nous avions prévu d'habiter la villa d'Hélène et Pierre Lazareff, la mère et le beau-père de Rosier, au Lavandou.

Le festival de Cannes avait débuté le 10 mai et l'idée de l'interrompre commençait à se répandre. À l'instar de Jean-Luc, beaucoup pensaient qu'il était indécent de le poursuivre quand la France entière se mettait en grève. Si j'étais en grande partie d'accord avec lui, mon affection pour Cournot, dont le film n'avait pas encore été projeté, était plus forte que tous ses arguments. « Tu penses court ! Tu en fais une histoire de sentiments ! » me reprochait Jean-Luc.

Le lendemain, alors que je faisais mes bagages, on apprit que les étudiants occupaient le théâtre de l'Odéon et que les élèves de l'École nationale de photographie et de cinéma se mettaient en grève. Eux occupaient leurs locaux, rue de Vaugirard. Il semblait certain maintenant que les tournages en cours allaient s'arrêter. Quitter Paris au moment où j'étais précisément concernée me fit un instant hésiter et, quand Armand m'appela pour me dire : « Viens nous rejoindre, ça barde ! », je faillis retarder mon départ. Mais trouverais-je une autre place d'avion dans vingt-quatre heures alors que les transports aussi commençaient à se mettre en grève ? Dans le doute et malgré l'opposition de plus en plus marquée de Jean-Luc, je partis avec Rosier et Bambam.

Retrouver le Midi au mois de mai fut un éblouissement. La maison de Pierre et Hélène Lazareff était construite au bout d'une presqu'île qui donnait de trois côtés sur la mer, avec un immense jardin et une plage quasi privée. Elle était luxueuse et comptait de nombreuses chambres. Rosier m'attribua celle de sa mère, immense et digne d'une tzarine, comme on la surnommait. Je me sentais en vacances, j'étais heureuse d'être là.

Jean-Luc appela alors que nous étions sur le point d'aller nous coucher. Il était épuisé, de mauvaise humeur, il prit mal la description émerveillée que je lui fis de la maison Lazareff. Selon lui, je l'avais abandonné pour Cournot et les plaintes qui succédèrent à ses reproches gâchèrent une partie de ma joie. Il se calma enfin, non sans ajouter : « Le festival de Cannes va s'arrêter, tu es descendue pour rien. »

Seule dans le grand lit de cette immense chambre, il me manquait beaucoup. Les trois fenêtres étaient ouvertes sur le ciel étoilé, je respirais les parfums de la nuit, j'aurais voulu son corps contre le mien. C'était un manque très physique, un désir d'amour bien précis, je ne parvenais pas à m'endormir.

Soudain un chat sauta du rebord d'une des fenêtres, il atterrit en souplesse sur le carrelage de la chambre. Je n'eus pas le temps de m'étonner de sa présence que déjà il me rejoignait sur le lit, ronronnant, frottant son museau au creux de mon épaule. Il était mince, tiède, blanc avec des taches de roux, il sentait un mélange subtil d'herbes du maquis et de mimosa. Je m'endormis en le caressant, presque consolée de l'absence de Jean-Luc à mes côtés.

Lors d'un délicieux petit déjeuner servi sur la terrasse par la gardienne de la maison, j'appris que ce chat était une jeune chatte. Elle m'avait quittée durant la nuit et, pendant que je buvais mon café, était revenue. À nouveau ronronnante sur mes genoux, elle me confirma, de même que le ciel, la mer et les senteurs fraîches du jardin, que je me trouvais au paradis. Il était encore tôt, Rosier et Bambam n'étaient pas descendus de leur chambre. J'enfilai un maillot et pris le sentier de la petite plage. Nager, longtemps, nue car il n'y avait personne, me procura un plaisir infini. Cela faisait presque un an que je ne m'étais pas baignée, que je n'avais pas pris de vacances. En me laissant porter sur le dos par l'eau de mer, les yeux fermés à cause du soleil, je pensai : « Au diable Jean-Luc ! Au diable ce qui se passe à Paris ! Au diable le festival de Cannes ! »

En remontant à la maison, je trouvai Bambam et Rosier qui lisaient à l'ombre, sur la terrasse. Ils m'apprirent que Jean-Luc avait téléphoné et avait paru mécontent que je sois à la plage. « Il te rappellera ce soir », dit Rosier. Bambam à son tour raconta ce qu'ils venaient d'entendre à la radio. Tous les tournages en cours s'étaient interrompus, les usines Renault de Flins et Boulogne-Billancourt étaient en grève, il n'y avait plus d'avions, plus de trains, plus de transports en commun dans les villes, où les tas d'ordures commençaient à s'entasser sur les trottoirs.

Le soir, au téléphone, Jean-Luc était de plus en plus nerveux. « C'est malin, ce que tu as fait ! On se retrouve séparés, toi coincée dans le Midi et moi à Paris. » Je laissai passer l'orage. Il poursuivit : « Truffaut m'appelle de Cannes : il faut arrêter le festival et il estime ma présence indispensable. On essaye de me trouver assez d'essence pour faire le trajet en voiture mais pour l'instant on n'y arrive pas ! » Je lui dis à quel point il me manquait, il se radoucit : « Toi aussi. Mais tu ne perds rien pour attendre. D'une façon ou d'une autre, j'arrive à Cannes et je file te récupérer. »

Ce n'est que le lendemain, en fin de journée, qu'il téléphona de nouveau. Ses amis avaient récolté suffisamment d'essence, ils rouleraient toute la nuit, ils seraient à Cannes dans la matinée. « Essaye de venir me retrouver, dit-il. — Mais comment ? On a les mêmes problèmes que toi, ici ! — Alors ce sera moi qui me débrouillerai pour venir. Mais je trouve que tu ne fais aucun effort, aucun ! »

La gardienne nous annonça que le dîner était servi sur la terrasse.

Rosier s'inquiétait pour Cournot. Ils s'étaient parlé pendant la journée et elle en gardait une sensation de malaise. Présent depuis deux jours au festival, il semblait résigné à ce que personne, jamais, ne vît son film. S'il en éprouvait du chagrin, il ne l'avait pas exprimé, malgré les questions. « Vous insistez toujours trop, lui reprochait Bambam. Si lui et Jean-Luc arrivent jusqu'à nous, il faudra les laisser tranquilles. »

Je dormis paisiblement. La chatte vint me faire une visite, tiède et parfumée, elle repartit chasser dans la nuit. La gardienne m'avait raconté que, malgré ses airs d'ange, elle était une redoutable tueuse et qu'il ne fallait pas m'étonner si elle m'amenait un oiseau ou un mulot.

Le lendemain matin, je repartis nager avec un bonheur égal à celui du premier jour. De temps à autre la pensée m'effleurait que j'aurais dû me trouver à Cannes auprès de Jean-Luc, mais elle passait vite et je n'en savourais que davantage la mer, le sable, ce privilège inouï d'avoir cette petite plage pour moi toute seule. Plus tard, bien sûr, quand je vis les images de ce qui s'était passé à Cannes, la folie dans laquelle Jean-Luc, Truffaut, Louis Malle et même Jean-Pierre Léaud avaient mis fin au festival, je regrettai de ne pas avoir été avec eux, accrochée au rideau rouge. Je le regrettai d'autant plus que je savais que Jean-Luc avait raison : je n'avais fait aucun effort, vraiment aucun. Ces regrets, je les éprouve encore aujourd'hui.

Jean-Luc et Cournot avaient réussi à trouver une voiture et suffisamment d'essence pour nous rejoindre. Ils arrivèrent en début de soirée. Le premier était livide, pas rasé, avec des vêtements froissés et sales. Il semblait au bord de l'épuisement à la fois physique et moral. Le second, toujours élégant, affichait un demi-sourire contraint. Ce fut lui qui par son récit compléta les quelques images que nous venions de voir à la télévision et les reportages radio que nous avions écoutés en direct durant l'après-midi. Jean-Luc se taisait, la voix en partie cassée.

À table, n'ayant rien mangé depuis la veille, il fit honneur au repas servi sur la terrasse par la gardienne, but même un peu de rosé et reprit des forces. « Tu as bonne mine », furent ses premières paroles. Puis aussitôt après : « On se repose et on rentre à Paris ! »

Rosier et Bambam eurent alors toutes les peines du monde à lui faire comprendre qu'il n'y avait plus d'essence et aucun moyen de transport. Bambam se fit rassurant :

— Nous trouverons un moyen. Rosier connaît beaucoup de gens dans la région. La voiture n'est pas un problème, il faut arriver à récolter assez d'essence pour nous conduire jusqu'à Paris si les transports poursuivent la grève.

— Ça va prendre combien de temps ?

— Je n'en sais fichtre rien.

Jean-Luc était accablé. Il contemplait la terrasse maintenant éclairée par des bougies, le luxe raffiné du salon avec un dégoût presque insultant pour Rosier qui s'efforçait encore d'animer un semblant de conversation. Quand il apprit que nous occupions la plus belle chambre, il eut un sursaut d'indignation.

— Jamais je ne dormirai dans le lit de Pierre Lazareff !

Rosier fit un effort pour contenir son irritation et expliqua :

— C'est la chambre d'Hélène, pas de Pierre. C'est nous

qui occupons celle de mon beau-père. J'en profite pour vous dire que nous l'aimons tous beaucoup ici et que vous m'offenseriez si vous continuiez à en parler sur ce ton.

Je faillis ajouter : « Moi aussi. » Je l'avais rencontré sur le tournage d'*Au hasard Balthazar* quand il était venu déjeuner avec la productrice du film, Mag Bodard. J'avais été charmée par son intelligence, sa gentillesse, sa curiosité.

Devant la fermeté dont Rosier venait de faire preuve, Jean-Luc s'était un peu calmé. Elle en profita.

— Vous allez monter prendre une douche car il me semble que vous en avez bien besoin. Anne me descendra vos vêtements pour qu'on vous les lave. Elle vous en rapportera d'autres, il y a de tout dans cette maison. Demain matin vous aurez les vôtres propres et repassés et, demain matin aussi, je ferai le tour de mes connaissances pour tenter de trouver de l'essence. Êtes-vous satisfait, maintenant ?

Aussi étrange que cela puisse paraître, Jean-Luc obéit avec la docilité d'un petit garçon. Il n'eut aucun regard pour la chambre et la salle de bains d'Hélène, il se déshabilla et disparut sous la douche. Je pris ses vêtements et retrouvai Rosier dans la cuisine. Elle me tendit un pantalon et une chemise en toile, un slip d'homme. Son œil exercé de styliste lui avait fait choisir exactement ce qu'il fallait. Elle était soucieuse.

— J'espère avoir une solution rapidement car la vie en commun ici va vite devenir infernale avec Jean-Luc dans cet état…

De retour dans notre chambre, je trouvai Jean-Luc nu dans le lit. Il dormait profondément, les lumières étaient éteintes. Le sol de la salle de bains inondé et des serviettes jetées à terre témoignaient de son passage sous la douche.

Je me déshabillai à mon tour et me glissai près de lui avec l'impatience d'une amoureuse. Hasard du sommeil ? Hostilité délibérée à mon égard ? Dès que Jean-Luc sentit le contact de ma peau contre la sienne, il me tourna le dos et s'éloigna, avec un grognement furieux. Je contemplai un instant le délicat dessin de sa nuque et de son épaule, désemparée. Moi aussi, je commençais à me faire du souci.

Je n'avais pas tort. Le lendemain, quand il se réveilla et me découvrit nue dans le lit, il eut une exclamation stupéfaite :

— Mais tu es toute bronzée !

Je me levai et esquissai un pas de danse pour me faire admirer.

— C'est joli, non ?

— Non !

Il m'expliqua, furieux, que nous n'étions pas en vacances, que nous étions comme des otages retenus en terre étrangère et qu'il était hors de question de rentrer à Paris bronzés. Emporté par son élan verbal, il se lança dans une comparaison entre notre situation et le sort des Palestiniens qui me laissa perplexe.

À peine descendu, il s'empara du téléphone et commença une série d'appels destinés à des gens dont j'ignorais l'identité. De la terrasse, en buvant mon café noir, je décidai de me passer de son approbation et de continuer à aller sur la plage pour profiter au mieux de cette drôle de parenthèse que ce drôle de mois de mai nous offrait. Mais je sentais comme une menace peser sur moi, sur nous.

Nager longtemps dans une mer pure et fraîche apaisa momentanément mes craintes. Je remontai à la maison à l'heure du déjeuner et les retrouvai à l'ombre, sur la terrasse. Ils avaient l'air tous les quatre de tenir un conseil de guerre. Quand je le leur dis, Jean-Luc me lança un regard noir.

— C'est pas le moment de plaisanter, dit-il.

Cournot me sourit gentiment.

— Tu es toute dorée, un abricot !

Autre regard noir, destiné à Michel, celui-là.

Rosier et Bambam me firent un résumé de leurs démarches matinales.

Ils étaient allés voir le chauffeur de taxi attitré d'Hélène Lazareff, Émile, qui se disait prêt à nous conduire jusqu'à Paris s'il se procurait suffisamment d'essence. Selon lui, c'était possible mais pas avant deux, trois jours. Jean-Luc en fulminait d'impatience.

Comme plus aucun quotidien ne paraissait, il ne restait que la radio pour nous tenir informés. Jean-Luc se mit à écouter en permanence Europe numéro 1. On dénombrait maintenant entre trois et six millions de grévistes, la France entière était paralysée. Outre l'absence d'essence, certaines denrées alimentaires commençaient à manquer. Bambam avait été prévoyant et dès notre arrivée au Lavandou avait dévalisé le bureau de tabac car nous fumions tous beaucoup. Quant au reste, la maison des Lazareff avait de quoi tenir longtemps.

Je passai une grande partie de la journée sur la plage où Rosier vint me retrouver un moment. Elle était exaspérée par l'atmosphère tendue qui régnait à la maison et dont Jean-Luc était le principal responsable. « Le génie n'excuse pas tout », répétait-elle. Il ne quittait pas le salon de crainte de prendre même à l'ombre un peu de soleil, ne profitait de rien, ni de la fraîcheur du jardin, sous les arbres, ni de notre chambre. « Il se punit et nous punit. » Rosier était une grande adepte de Freud et c'était entre Jean-Luc et elle un fréquent sujet de discorde.

Au dîner, il nous apprit la création des états généraux du cinéma français, rue de Vaugirard. « C'est à l'appel du syndicat des techniciens, de la CGT. Je me demande ce que cela peut donner un tel mélange... » Il était à la fois curieux et méfiant, Cournot partageait ce sentiment. Ils se mirent à échafauder quelques hypothèses sur les suites possibles de cette initiative et Jean-Luc parut se détendre. Sa mauvaise humeur se portait maintenant essentiellement sur moi : il ne me regardait pas, il évitait de m'adresser la parole. J'étais blessée, j'avais envie de me justifier, de protester que je n'étais en rien responsable de ce qui nous gardait ici. Mais la peur d'un nouveau conflit en présence de nos amis me retenait. Je pensais aussi qu'une fois couchés dans le grand lit d'Hélène le désir amoureux l'emporterait et nous réconcilierait.

Il était encore trop tôt pour regagner nos chambres et chacun eut envie de s'attarder au salon et de lire. Je relisais un de mes livres préférés, *Jules et Jim*, Rosier un roman anglais pas encore traduit en français, Bambam la correspondance de Flaubert et Jean-Luc *Le Banquet* de Platon.

— Il y a là une très belle définition de l'amour. Vous voulez l'entendre ?

Il écouta à peine nos approbations et commença :

— « Quand le hasard lui fait rencontrer cette moitié de lui-même, son complément, l'amoureux est saisi d'un sentiment d'amitié, de familiarité, d'amour, et ne veut plus le quitter. »

Et tout de suite après, en me fixant avec méchanceté :

— J'ai trouvé cette moitié de moi-même, mon complément, ma femme, mais elle m'a quitté pour se faire bronzer au soleil comme la plus vulgaire des starlettes !

Je dus devenir très pâle tandis que je me levai en chancelant pour quitter le salon. Rosier bondit hors du canapé.

— Espèce de salaud, dit-elle à Jean-Luc.

— Ce que tu viens de dire est dégueulasse, ajouta Bambam en colère. J'espère que tu plaisantes et si oui, ce n'est même pas drôle.

Jean-Luc ne répondit pas et reprit sa lecture comme si de rien n'était. Pour le connaître bien, je le savais très satisfait de lui-même. C'était la première fois depuis notre rencontre qu'il exerçait sur moi cette terrible méchanceté tapie en lui et qui ressortait parfois. J'allais éclater en sanglots, Rosier m'aida à quitter la pièce et à descendre dans le jardin. Au passage, je surpris le regard attristé et plein de compassion de Cournot.

Dans le jardin, assise sur un banc de pierre face à la mer, j'écoutais les paroles tour à tour indignées et rassurantes de Rosier. J'étais parvenue à refouler mes larmes, à dissimuler le désarroi profond dans lequel je me trouvais. J'essayais de suivre ses conseils, de me conduire comme une adulte. « L'enfant, c'est lui, pas toi », disait Rosier.

Jean-Luc était déjà couché et la chambre plongée dans l'obscurité quand je remontai à l'étage. Je m'attardai un moment dans la salle de bains, me déshabillai et me glissai à mon tour entre les draps.

Jean-Luc me tournait le dos à l'autre extrémité du lit. J'ignorais s'il dormait, je me taisais avec toujours cette envie de pleurer qui me serrait la gorge. Au bout d'un moment, sans se retourner, il murmura :

— Je regrette ce que j'ai dit tout à l'heure, je ne le pensais pas, et si tu l'as cru tu es une imbécile.

— Alors, pourquoi ? Qu'est-ce que je t'ai fait ? murmurai-je à mon tour.

Nouveau et long silence, puis :

— Il y a que je souffre et que cela m'est insupportable de te voir aussi heureuse ici, dans cette maison, chez les Lazareff.

Je faillis rire et dire : « C'est une idée fixe, les Lazareff ! », mais ce fut l'inquiétude qui l'emporta.

— De quoi est-ce que tu souffres ?

Il ne répondit pas et je répétai ma question. Il eut un mouvement exaspéré de l'épaule pour me signifier que la conversation était terminée. J'attendis quelques secondes puis me rapprochai doucement de lui. Son absence de réaction m'autorisa à poser une main sur sa nuque et à la caresser. Il ne bougea pas mais sa réponse vint, calme et sèche :

— Pas la peine de te donner tout ce mal, je suis en grève moi aussi. En grève de l'amour.

Je roulai à l'autre extrémité du lit, la respiration coupée. Je ne savais si cette soirée était maudite et s'oublierait dans la nuit, ou si quelque chose se tramait en lui que je ne discernais pas. L'inquiétude devenant insupportable, j'avalai un comprimé d'Imménoctal et sombrai vite dans le sommeil.

Je me réveillai un peu plus tard que d'habitude dans un lit vide.

En m'installant sur la terrasse, je trouvai Cournot qui finissait son petit déjeuner. Il m'apprit que Jean-Luc, Rosier et Bambam étaient allés voir Émile pour discuter des modalités de notre retour à Paris. Le départ était prévu pour le lendemain matin avec quelques arrêts pour se ravitailler en essence, dont une nuit chez Fanny et

Gilles Deleuze, à Lyon. « Lui aussi souhaite rentrer à Paris. Faute de place dans la voiture, Rosier restera ici pour fermer la maison et se débrouillera de son côté pour partir. Elle n'est d'ailleurs pas pressée, je crois... » Je ne fis aucun commentaire, terminai mon café et remontai dans ma chambre pour mettre un maillot de bain et une longue chemise. Mon image rapidement entrevue dans le miroir me fit presque peur. Mes traits tirés, ma bouche crispée et mes yeux bouffis me donnaient subitement plusieurs années de plus : je ne me reconnaissais pas. « Comme je ne reconnais plus Jean-Luc », pensai-je avec amertume.

En bas, Cournot était toujours là.

— Je t'attendais. Je peux faire un bout de chemin avec toi ?

Il s'empara de la serviette-éponge que je m'apprêtais à prendre, il posa une main sur mon épaule. Nous prîmes le sentier bordé de pins qui menait à la plage. Son silence, sa présence si chaleureuse, si fraternelle, m'apaisaient. Mais je conservais, tenace, l'envie de pleurer de la veille en repensant à notre nuit, à la distance qu'il y avait maintenant entre Jean-Luc et moi.

— Il ne m'aime plus, dis-je soudain.

— Crétine !

Nous étions arrivés sur la plage. Cournot me désigna un coin d'ombre sous un figuier et déroula la serviette-éponge sur le sable.

— Je déteste le soleil, la mer et le sable et je ne me mets jamais en maillot de bain.

En effet, il portait un pantalon et un chemisier en toile fermé jusqu'au cou. J'étais en sandales, il gardait ses mocassins et ses chaussettes.

— Jean-Luc t'aime, vraiment, profondément. J'étais

inquiet pour lui avant votre rencontre. Il avait des papillons noirs dans la tête, une sorte de désespoir que rien ne pouvait apaiser et dont il ne parlait pas. Il n'est pas fait pour vivre seul, il a besoin de son « complément », comme le dit si bien Aristophane. Et puis tu es venue et il s'est métamorphosé.

— Oui, mais maintenant il ne m'aime plus.

— Si. Seulement je crois qu'il traverse un moment délicat de sa vie d'homme. Je devine de nouveau les papillons noirs et j'ignore pourquoi. Tu dois être patiente et aimante comme doivent l'être les femmes, lui montrer davantage à quel point il compte pour toi.

Il me regarda en souriant.

— Je sais que tu n'es ni une séductrice ni une allumeuse. Mais tu as une façon enfantine de t'enticher de certains êtres, de les admirer qui peut faire peur, parfois. On se dit : « Elle va s'en aller, je ne suis pas à la hauteur, je ne saurai pas la retenir. » Par exemple, hier, avant le dîner, tu jouais avec le chat de la maison. Il y avait tant d'amour en toi pour cette bête, tant de bonheur, tant de joie de vivre le moment présent... J'ai regardé par hasard Jean-Luc qui ne te quittait pas des yeux : il souffrait pour de vrai, pour de bon, et je devine qu'il pensait : « Je ne peux pas rivaliser avec ce chat. »

— C'est idiot. Et puis c'est une chatte !

Je sentais les traits de mon visage et tout mon corps se détendre. Je souris à Cournot.

— Merci.

Il se releva.

— Une dernière chose. Si Jean-Luc ne t'aimait pas, si je n'aimais pas Nella, nous serions toi et moi éperdument amoureux. Sauf que moi, je t'enfermerais dans une cage... Ce n'est pas le cas, donc c'est la preuve que j'ai raison.

Sa bouche effleura chastement mes lèvres et il reprit le sentier vers la maison. Je courus me jeter dans la mer, heureuse, comme délivrée d'un mauvais sort, avec encore le souvenir de son baiser. Une phrase de Colette que j'avais inscrite adolescente dans mon cahier de texte me revint en mémoire : « Petit souci, je ne veux pas que tu deviennes un gros chagrin. » C'était dans lequel de ses romans, déjà ? Un « Claudine » ?

Lors de ce dernier dîner au Lavandou, nous étions tous les cinq perdus dans nos pensées. La radio nous avait appris que Dany avait été refoulé à la frontière et qu'il était désormais interdit de séjour en France. Cette information nous avait paru confondante de stupidité et de maladresse mais aussi très inquiétante : comment ne pas réagir autrement qu'avec fureur et violence ? À plusieurs reprises, on appela Jean-Luc au téléphone. Il avait perdu son agressivité, il semblait indifférent aux difficultés que représentait notre retour à Paris. Passer une nuit à Lyon et repartir avec Gilles Deleuze ne lui avaient arraché qu'un vague : « On ne peut pas s'en passer ? », et devant le ferme « Non » de Bambam : « Bien, c'est toi le chef ! — J'ai déposé dans la chambre de quoi te raser et une chemise propre à ta taille. Il faut, si nous croisons des flics, avoir l'air de gens irréprochables. Pour l'instant, seuls Anne et ses airs de vacancière nous rendent crédibles. — Bien, chef », avait répété Jean-Luc.

Une fois couchés dans le grand lit d'Hélène, il me demanda pardon pour son attitude de la veille et s'endormit tout de suite. Un peu avant l'aube, il me réveilla et me dit à quel point il m'aimait. « Tu es le seul point stable de ma vie, ma seule certitude. » Nous fîmes l'amour doucement, délicatement. Puis, allongés l'un près de l'autre, nous attendîmes dans un demi-sommeil l'heure de se lever. La chatte nous fit une visite mais resta sur le rebord de la fenêtre. Sa présence gracieuse m'apaisa, elle semblait veiller sur nous. Car, malgré ses paroles et sa tendresse, je devinais chez Jean-Luc une grande inquiétude et cette inquiétude, que je ne m'expliquais pas, peu à peu me gagnait.

Émile était un homme corpulent, joyeux et très excité par ce long trajet dans une France paralysée. « Un défi ! répétait-il régulièrement. Un défi ! » Il conduisait une DS, il nous informa de son plan de bataille : faute d'avoir pu faire le plein de son réservoir, il se réapprovisionnerait à deux reprises chez des amis qui, prévenus, nous fourniraient de l'essence. La même organisation avait été mise en place pour le lendemain. Bambam à l'avant, Michel, Jean-Luc et moi à l'arrière, nous l'écoutions parler, soulagés de n'avoir rien à dire, surpris de tous les garages et magasins fermés qui jalonnaient la route. Nous le savions, mais c'était impressionnant de le constater. La gardienne nous avait préparé un pique-nique conséquent, de quoi nous désaltérer, et la halte déjeuner dans le jardin d'une cousine d'Émile fut agréable. J'avais conscience de vivre un moment particulier, presque une aventure, je me demandais si mes aînés le pensaient aussi.

Nous arrivâmes à Lyon en fin de journée, où Gilles et Fanny Deleuze nous attendaient. Ils écoutaient la radio.

À Paris, un rassemblement avait lieu sous l'horloge de la gare de Lyon pour protester contre l'expulsion de Dany Cohn-Bendit. Des centaines de personnes suivaient en direct sur leur transistor le général de Gaulle qui annonçait un prochain référendum : les Français le souhaitaient-ils toujours à la tête de l'État ? Dans le cas contraire, il se retirerait. Des haut-parleurs transmettaient aussi son discours et cela créait une cacophonie qui nous empêchait parfois de tout comprendre. Mais nous suivions l'essentiel. La réponse de la foule fut immédiate : « Adieu de Gaulle, adieu de Gaulle, adieu ! » scandèrent en chœur des centaines de voix. « Adieu de Gaulle, adieu ! » chantèrent en écho près de nous deux autres petites voix. Les jeunes enfants de nos hôtes s'étaient glissés silencieux comme des chats dans le salon, ils venaient seulement de se montrer. Leurs visages malicieux et ravis détendirent l'atmosphère, car ce qui allait se passer à Paris avait de quoi inquiéter. Le journaliste conclut en rappelant ce que nous ignorions : en prévision de cette manifestation, les forces de police avaient bloqué tous les accès menant au Quartier latin. Il ajouta qu'à l'heure actuelle, malgré un important début de dispersion, des groupes demeuraient rive droite et semblaient résolus à ne pas suivre les consignes des organisateurs.

Gilles Deleuze éteignit la radio tandis que Fanny apportait des rafraîchissements. D'ici peu, nous irions dîner dans une pizzeria proche de leur domicile, mais pour l'instant Gilles réclamait des précisions sur l'arrêt du festival de Cannes. Michel et Jean-Luc restèrent évasifs. L'un parce qu'il n'en avait pas été un des acteurs, l'autre par mauvaise volonté. Il se tourna alors vers moi et je dus, un peu honteuse, avouer que je me trouvais à la plage. Il me regarda avec plus d'attention.

— C'est vrai que vous avez une mine superbe. Un abricot...

— ... Doré, compléta Jean-Luc froidement.

Bambam se hâta d'intervenir.

— Raconte-nous ce qui se passe dans les universités de Lyon.

Après le dîner, de retour à l'appartement, nous écoutâmes à nouveau la radio.

Un journaliste d'Europe numéro 1 décrivait, haletant, le regroupement d'un nombre de plus en plus important de jeunes, dont certains avaient le visage dissimulé derrière un foulard. Les slogans les plus divers fusaient qui n'avaient plus grand-chose à voir avec ceux du rassemblement sous l'horloge de la gare de Lyon, à la fin de la journée. Des barricades se construisaient, quelques voitures avaient déjà été incendiées ainsi que des tas d'ordures qui encombraient les trottoirs. Des leaders syndicaux et des responsables étudiants profitaient des micros qui leur étaient tendus pour appeler au calme. Sans aucun succès, semblait-il. Les forces de police appelées en urgence et qui attendaient les affrontements aux abords du Quartier latin tardèrent à intervenir. Très vite, la Bourse, symbole du capitalisme, flamba dans les hurlements de joie d'une foule devenue comme ivre. Pendant ce temps, d'autres groupes, profitant du déplacement d'une partie des forces de police, envahissaient le Quartier latin. Les journalistes, toujours au premier plan, parlaient de « chaos généralisé ».

Cournot, le premier, voulut aller se coucher : il était plus de minuit et nous devions nous lever tôt. Jusque-là, aucun d'entre nous n'avait fait de commentaire. Seul Deleuze, parfois, avait posé une question, mais c'était comme s'il se l'était posée à lui-même et personne ne lui avait répondu. Il éteignit la radio. Bambam occupait la chambre d'amis, Jean-

Luc et moi celle des enfants que des voisins hébergeaient, Cournot le canapé du salon. On se dit rapidement bonsoir et ce fut tout.

Le lendemain matin, au petit déjeuner où Émile nous avait rejoints, nous écoutâmes accablés la radio. Des journalistes d'Europe numéro 1 décrivirent la nuit terrible qui avait eu lieu à Paris où de nombreux groupes incontrôlés avaient transformé le boulevard Saint-Michel et les rues adjacentes en véritables champs de bataille, incendiant tout ce qu'ils pouvaient, portés par le seul désir de détruire. Cela n'avait plus rien à voir avec les manifestations politiques des jours précédents, « la ligne rouge avait été franchie », dit l'un d'entre eux. De fait, l'opinion publique se retournait et la France, révulsée par les violences gratuites de la nuit, en appelait maintenant à un retour rapide de l'ordre et à la reprise du travail.

— Et si c'était l'apogée du mouvement étudiant ? demanda Deleuze.

Il avait posé sa question à la cantonade, mais il s'adressait en fait à Jean-Luc. Celui-ci secoua la tête en signe d'impuissance.

— Je ne sais pas.

— Mais qu'en pensez-vous ? insista Deleuze.

— Justement, je ne sais plus quoi penser.

Son visage exprimait une détresse si sincère que j'en eus le cœur serré.

La DS d'Émile repartit. Bambam, qui se plaignait de douleurs lancinantes dans le dos, installé à son aise à l'avant, Cournot, Deleuze, Jean-Luc et moi serrés à l'arrière. Le voyage se déroula comme celui de la veille, avec deux haltes pour l'essence chez des particuliers. Lors de la première, nous trouvâmes un restaurant ouvert où nous pûmes déjeuner. L'endroit était plaisant, il faisait beau, la France que nous traversions ressemblait à celle chantée par Charles Trenet. Mais personne n'avait envie de fredonner quoi que ce soit. Nous éprouvions chacun à notre façon de l'appréhension à retrouver le Paris décrit par les journalistes. Deleuze était le seul à manifester une bonne humeur qui n'était pas feinte.

Il parlait beaucoup, posait et se posait des questions. Bambam lui répondait du tac au tac, en vieux complice à la fois moqueur et admiratif. Cournot intervenait rarement, mais quand il s'y risquait, c'était à propos d'un détail du paysage ou d'un enfant solitaire qui jouait au ballon. Jean-Luc gardait un silence obstiné et moi, comme d'habitude, je me taisais.

Nous étions à une centaine de kilomètres de Paris quand nous fûmes arrêtés par un barrage routier. Des policiers nous firent signe de nous garer sur le bord de la route et demandèrent nos papiers d'identité. Puis, ils voulurent fouiller nos bagages. « Je descends avec Anne et Émile. Les autres, vous restez sagement dans la voiture », dit Bambam. Deleuze et Jean-Luc protestèrent. « Vous faites ce que j'ai dit. Je me méfie de l'instinct provocateur de Jean-Luc que je commence à bien connaître et toi, Gilles, avec tes ongles de sorcière, tu n'es pas possible... » Jean-Luc, pour la première fois, sourit. « Deleuze est vexé comme un pou ! » dit-il en désignant du doigt la mine soudain renfrognée de notre compagnon.

Quatre policiers nous firent ouvrir nos sacs et valises qu'ils vidèrent soigneusement avant de nous autoriser à les remplir à nouveau. « Après ce qui a eu lieu cette nuit, ils cherchent des armes », murmura Bambam. De fait, les policiers, qui n'avaient rien à nous reprocher, nous laissèrent partir avec regret. Très rares étaient les voitures qui trouvaient encore de l'essence pour rouler et cela nous rendait suspects. Ils ne prirent pas la peine de prévenir leurs collègues et l'opération se reproduisit avant d'arriver à Paris. Plus tard, on apprit que des barrages routiers avaient été mis en place aux différentes portes de la capitale et que c'était bien la recherche d'armes qui justifiait toutes ces fouilles.

Une mauvaise surprise m'attendait rue Saint-Jacques.

En notre absence, Jean-Jock s'était installé dans le salon au milieu d'un amoncellement de linge sale, de bouteilles de bière vides, de brochures et de tracts. Certains de nos disques étaient éparpillés sur la moquette. Jean-Luc, qui croyait revenir au plus tard le lendemain de son expédition à Cannes, lui avait laissé son jeu de clefs et Jean-Jock était resté, profitant de cette aubaine. En nous voyant, il entonna joyeusement :

Comme faucheurs rasant un pré
Comme on abat des pommes,
Les Versaillais ont massacré
Pour le moins cent mille hommes...

Il ne put aller plus loin car je l'interrompis, furieuse.

— Tu ramasses tout ce bordel et tu fiches le camp illico. Je t'ai déjà dit que je ne voulais pas que tu habites chez nous !

Il prit une mine éplorée.

— Je pensais...

— Tu ne penses plus, tu ramasses toutes tes affaires, bouteilles vides comprises, et tu t'en vas.

Il lançait des regards suppliants en direction de Jean-Luc. Celui-ci, excédé par cette scène, partit s'enfermer dans son bureau dont il claqua la porte avec violence. L'idée de me disputer aussi avec lui me calma et c'est d'une voix adoucie que je m'adressai à Jean-Jock :

— On peut t'abriter de temps en temps mais je ne veux pas que tu habites avec nous. On rentre d'un voyage fatigant, alors tu t'en vas maintenant. On va aller dîner et, quand on revient, je ne veux plus rien voir.

Jean-Jock ramassa ses vêtements sales sans protester davantage mais en conservant cet air de chien battu qui commençait à me culpabiliser. Je tentai de me justifier :

— Nous ne sommes pas tes parents, Jean-Jock...

— Quel dommage, une aussi jolie maman, un papa qui s'appelle Godard...

Par crainte d'un retournement de situation, je quittai la pièce et passai prendre Jean-Luc. Il accepta avec empressement ma proposition de sortir, soulagé de n'avoir pas à intervenir dans un conflit entre Jean-Jock et sa femme. Sur les dernières marches, il lui cria :

— Tu laisses les clefs dans notre boîte aux lettres après avoir fermé les trois verrous. À demain, camarade !

— À demain, camarade !

Ouf, j'avais gagné.

Il y avait des policiers à chaque carrefour, à chaque coin de rue, qui contrôlaient l'identité des passants alors que le quartier semblait étrangement calme, comme déserté. À trois reprises, nous dûmes montrer nos passeports suisses heureusement trafiqués par mon frère Pierre.

— Et c'est toi qui voulais habiter le Quartier latin parce

que tu en avais « marre de la proximité avec la place Beauvau, marre de l'Élysée et de tous ces flics » ? demanda Jean-Luc.

Cette remarque me fit rire. Comme s'il avait marqué un point, il rit aussi et la tension des derniers jours se dissipa le temps d'une soirée.

Jean-Luc dormit tard et moi aussi. Une fois réveillé, il prit une douche mais refusa de se raser et de mettre des vêtements propres de peur d'avoir l'air d'un vacancier. « Promets-moi de ne pas dire que nous étions dans la maison des Lazareff », m'avait-il demandé avant de nous coucher. J'avais promis.

Maintenant il hésitait. Il souhaitait se rendre aux états généraux du cinéma, rue de Vaugirard, au théâtre de l'Odéon occupé depuis le 15 mai, aux Beaux-Arts et dans l'atelier de Chris Marker. Il passa quelques coups de téléphone, dont un à François Truffaut qui le mit de mauvaise humeur sans qu'il daigne me dire pourquoi.

Les policiers s'étaient volatilisés et il y avait beaucoup de monde aux abords de la Sorbonne. Des gens entraient, sortaient, discutaient sur les trottoirs, sans que l'on puisse savoir d'où ils venaient, s'ils étaient ou non des étudiants. De groupe en groupe, nous arrivâmes au théâtre de l'Odéon.

Ce que j'y vis me révulsa aussitôt et définitivement. Ce lieu, pour moi, était sacré, il était profané par une foule de gens hirsutes, sales, avachis dans les fauteuils où, visiblement, ils avaient passé la nuit. Le sol était jonché d'immondices, à l'image des trottoirs de Paris où les tas d'ordures avaient maintenant des proportions impressionnantes. Sur scène, on se bousculait, on se lançait dans des discours confus, verbeux, absurdes. Quelqu'un reconnut en moi l'interprète de *La Chinoise* et me prit à partie : « Alors, camarade, tu viens nous faire chier avec les slogans du vieux con maoïste ? », tandis que d'autres jeunes entouraient Jean-Luc et lui demandaient de monter sur scène et de se prononcer sur les orientations du cinéma français. Je fus la première dehors, mais Jean-Luc me suivit de près. Il m'écouta en silence exprimer la rage et le dégoût que j'avais éprouvés dans mon cher théâtre profané et que j'éprouvais encore en suivant la rue de Vaugirard. J'insistai pour connaître ses impressions, il me répondit mollement : « Toute révolution implique des excès. Au moins, la Sorbonne et l'Odéon sont des lieux où la parole est libre. — Conneries ! » répliquai-je de plus en plus en colère.

Depuis que nous étions sortis de chez nous, j'avais une sensation étrange que je ne cherchais pas à approfondir mais que je compris à l'angle de la rue de Vaugirard et du boulevard Raspail : il n'y avait plus aucune voiture et, à part quelques bicyclettes, les gens marchaient tranquillement dans les rues. J'en fis part à Jean-Luc qui à son tour regarda plus attentivement autour de lui. « On voit enfin Paris », et paraphrasant le titre du livre de Hemingway que nous aimions : « Paris est devenu une fête. »

L'École nationale de photographie et de cinéma était une ruche où presque toute la profession se trouvait réunie. Des commissions s'étaient créées qui établissaient des programmes de réformes du cinéma, ensuite soumis à tous. Metteurs en scène, techniciens et acteurs occupaient les chaises de la grande salle et écoutaient, certains avec attention, d'autres en bavardant avec leurs voisins. Beaucoup se connaissaient et s'interpellaient.

L'entrée pourtant discrète de Jean-Luc provoqua une importante diversion. Certains se levèrent pour le féliciter d'avoir contribué à l'interruption du festival de Cannes. Louis Malle, qui s'y trouvait aussi, vint lui serrer la main. Jean-Luc se forçait à sourire, gêné par cette ambiance trop amicale qui, comme il me le dira plus tard, « ne correspondait à rien ». Pour ma part, j'eus droit à beaucoup de compliments, on loua ma bonne mine et mon air reposé. « On croirait que tu as quinze ans ! me dit une actrice qui en avait le double. — Il ne faut pas exagérer, elle en a vingt et un », corrigea Jean-Luc. Il avait oublié ses griefs à propos de la plage et semblait maintenant fier de m'avoir à ses côtés. Nous nous assîmes et Louis Malle reprit son exposé.

Un autre lui succéda, un autre encore. Je commençai à m'ennuyer ferme et n'écoutai plus que distraitement, plus attentive aux nombreux va-et-vient. Je remarquai la présence de certaines personnalités que j'admirais et que je ne connaissais pas : puisque tout le monde semblait se parler, oserais-je, moi, leur adresser la parole ?

Tous les cafés étaient ouverts autour de l'École. Dans le plus proche, je trouvai Armand, son amie Pat' et deux de ses copains, un cadreur et un ingénieur du son. Ils mangeaient des sandwichs, buvaient du vin blanc et ils m'invitèrent à me joindre à eux. Armand me raconta l'arrêt du tournage de *La Bande à Bonnot.* Personne ne savait quand le travail reprendrait. Lui et ses amis vivaient cela comme d'amusantes vacances. Ils éprouvaient de la sympathie pour le mouvement étudiant mais ne croyaient pas une seconde à la possibilité d'une révolution. Jean-Claude, l'ingénieur du son, rentrait de Calcutta où Louis Malle avait tourné un documentaire et restait le plus critique : « Après trois mois aux Indes, j'ai l'impression d'assister à une révolte de gosses de riches. » Mais il disait ça gentiment, sans aucune agressivité. Lui, Patrice le cadreur, Armand et son amie Pat', qui était assistante à la mise en scène, avaient à peine trente ans. Je me sentais bien avec eux, ils ne se prenaient pas au sérieux, ne se lançaient dans aucun discours.

Jean-Luc me récupéra et nous allâmes voir Chris Marker. Dans un local, plusieurs jeunes gens et lui fabriquaient en permanence de courts films militants de moins de trois minutes, que l'on appelait des ciné-tracts. C'était subversif, insolent, plein d'invention, et cela décida Jean-Luc. « Je me joindrai volontiers à vous, si vous m'acceptez », dit-il avec modestie. Tous lui souhaitèrent la bienvenue. Chris Marker se tourna vers moi.

— Et vous aussi.

— Oh, moi...

Il m'examina des pieds à la tête, avec un sourire :

— Quelle jolie jeune femme, et d'origine russe en plus !

Plus tard, à nouveau dans la rue, Jean-Luc m'apprit que Chris Marker, qu'il admirait beaucoup pour son intégrité et le caractère novateur de ses films, était très sensible à la beauté des femmes et à celle des femmes russes en particulier. Dès lors, on cessa définitivement d'évoquer mes journées passées sur la plage.

Maintenant, il voulait se rendre à l'École des beaux-arts où se fabriquaient les formidables affiches qui couvraient tous les murs du Quartier latin. Nous avions parcouru des kilomètres, je commençais à en avoir un peu assez de toutes ces rencontres et je venais d'avoir une idée, un « plan secret » comme disent les enfants. Nous nous séparâmes au carrefour des boulevards Saint-Michel et Saint-Germain. Jean-Luc me désigna le café Le Cluny qui se trouvait à l'angle.

— J'ai rendez-vous là, à six heures, avec Charles. Je voudrais que tu sois présente ainsi que Jean-Jock. Tu y seras ?

J'acquiesçai distraitement, pressée de mettre mon plan à exécution. Il était simple. Puisqu'il n'y avait plus aucun transport, j'allais circuler en patins à roulettes ! Je me souvenais avoir vu un magasin de jouets pas loin de chez nous et ma grande crainte était qu'il soit fermé.

Il ne l'était pas. Une vendeuse, contente de voir un client entrer chez elle, s'empressa de me montrer quelques paires. J'en choisis une qu'elle m'attacha autour des chevilles, je payai et sortis, mes espadrilles sous le bras.

Mes débuts furent prudents. Je fis cahin-caha quelques tours dans le quartier sous le regard amusé des passants. Puis je les enlevai et remontai à l'appartement.

Du Lavandou, j'avais une fois appelé ma mère, je devais maintenant lui téléphoner pour la prévenir de mon retour. Elle se montra affectueuse et amusée par le récit de mon séjour chez les Lazareff qu'elle connaissait et appréciait ; par notre long voyage en taxi. L'impossibilité de nous voir ne la contrariait pas, elle regrettait juste de ne pas pouvoir venir dans le Quartier latin à pied. Comme son père, sa mère et l'ensemble de la famille, elle s'inquiétait de voir la France paralysée par les grèves. Mais leur confiance à l'égard du général de Gaulle demeurait intacte. Seul Pierre s'amusait, allait et venait partout dans Paris grâce à sa mobylette, rentrait quand cela lui plaisait. « Je n'ai plus aucune autorité sur lui », se plaignait-elle.

Mais Pierre était aussi le témoin direct de la vie quotidienne du Quartier latin et les récits qu'il rapportait intéressaient particulièrement notre grand-père. Leurs liens s'en trouvaient resserrés.

Quelqu'un appela pour demander à Jean-Luc d'être présent le lendemain à l'École nationale de photographie et de cinéma où aurait lieu une « importante AG ». Je promis de transmettre le message et quittai l'appartement car l'heure du rendez-vous approchait. En bas de l'escalier, je mis mes espadrilles dans ma musette et chaussai à nouveau ma paire de patins. Rue Saint-Jacques, déjà, je me sentis plus sûre de moi. Mon équilibre était meilleur, j'osais aller plus vite.

Un sifflement admiratif me fit tourner la tête. Sans m'en rendre compte j'avais dépassé Jean-Jock, boulevard Saint-Germain. Je stoppai si net et si mal que je dus m'accrocher aux épaules d'un monsieur âgé pour ne pas chuter sur le trottoir. Il m'aida à me redresser en grommelant : « Cette jeunesse se croit tout permis. » Et tandis que je lui faisais des excuses et le remerciais, il se radoucit : « Au plaisir, mademoiselle. »

Jean-Jock riait aux éclats. De me voir patiner l'enchantait et il trouvait l'idée excellente. Il soupira.

— Dommage que je ne puisse pas en faire autant...

— Et pourquoi ?

— Je suis un militant, moi.

Ce fut à mon tour de rire tandis qu'il entonnait :

Ils ont fait acte de bandits
Comptant sur le silence
Ach'vé les blessés dans leurs lits
Dans leurs lits d'ambulance...

Nous étions arrivés au café Le Cluny. Jean-Luc et le dénommé Charles nous attendaient au fin fond de la pièce, un peu en retrait, tels des conspirateurs. Un brouhaha surpris eut lieu chez les consommateurs quand nous fîmes notre apparition, moi me faufilant en patins entre les tables et Jean-Jock chantant toujours à tue-tête :

Tout ça n'empêche pas, Nicolas,
Qu'la Commune n'est pas morte !

En nous voyant, Jean-Luc se leva stupéfait.

— À quoi vous jouez ?

Son ami ne bougea pas de la chaise sur laquelle il était assis et nous examina sans rien exprimer de particulier. D'une voix posée, il commenta :

— Apparition des Marx Brothers.

Je m'affalai sur la banquette et Jean-Jock prit la chaise libre. Jean-Luc fit les présentations. Il y eut un silence embarrassé tandis que les conversations reprenaient dans le café. Un serveur s'approcha. Jean-Luc buvait une bière, Charles un whisky. Soudain intimidée, je voulus me donner du courage :

— Un whisky !

— Moi aussi, ajouta Jean-Jock.

J'ignorai la mimique courroucée de Jean-Luc pour me concentrer sur son ami.

C'était quelqu'un d'immédiatement séduisant, à qui je donnais dans les vingt-cinq ans. Il était brun, avec un visage aux traits réguliers, un regard qui n'hésitait pas. Il émanait de lui une intelligence et une maturité qui le différenciaient de tous les jeunes gens. Il s'imposait tout de suite et son autorité semblait aller de soi. Sans s'attarder dans d'inutiles bavardages, il reprit la discussion que notre arrivée avait interrompue.

Il s'agissait d'inventer un autre cinéma, un nouveau langage. Il jugeait que même les films les plus beaux de Jean-Luc appartenaient au passé. Il citait régulièrement Mao à propos du cinéma révolutionnaire qu'il préconisait, en disant qu'il fallait impérativement « extirper le poison révisionniste ».

Jean-Luc l'écoutait sans intervenir avec une expression enfantine, entre l'admiration et la soumission. J'étais choquée par son silence comme par le discours que tenait son ami. À deux reprises, je tentai de l'interrompre. Alors, il s'arrêtait, m'adressait un sourire qui se voulait charmeur mais que je trouvais condescendant, suivi d'une phrase aimable destinée à me faire taire : « Bien sûr, c'est nouveau pour toi, mais tu finiras par comprendre et rejoindre notre point de vue. »

Le « notre point de vue » me choqua encore davantage. Était-ce aussi celui de Jean-Luc ? Cette perspective m'effraya.

Jean-Jock essayait d'intervenir. Mais il le faisait de manière fougueuse et maladroite, à coups de citations marxistes qui ne provoquaient rien d'autre chez Charles qu'un haussement de sourcils agacé. S'il insistait, Charles lui démontrait en quelques mots qu'il était « à côté de la plaque ».

J'en voulais à Jean-Luc de ne pas le défendre. J'eus l'intuition que Charles cherchait à supplanter Jean-Jock et qu'il y parviendrait. L'un était encore un enfant, l'autre un homme, plus averti, plus rusé, plus déterminé. De façon confuse, cela me fit peur. J'y voyais clairement une menace pour Jean-Jock mais pas pour moi. J'étais la femme de Jean-Luc, je me considérais comme protégée, intouchable. J'avais tort.

Depuis un moment, je n'écoutais plus Charles et la mine dépitée de Jean-Jock me faisait de la peine. Je me tournai vers lui.

— C'est quoi, déjà, le refrain de ta chanson ?

Ma question sembla le ressusciter et il entonna aussitôt de sa voix de stentor :

Tout ça n'empêche pas, Nicolas,
Qu'la Commune n'est pas morte !

Dans le café, les conversations s'arrêtèrent et des têtes se tournèrent vers nous. Charles, stoppé en plein discours sur les débuts du cinéma soviétique, nous fixait sans comprendre. Il me sembla que Jean-Luc, pour la première fois, esquissait un sourire.

— Tu n'as pas l'intention de chanter aussi *Les Parapluies de Cherbourg* ? dit enfin Charles.

Jean-Jock était outré.

— Cela n'a rien à voir avec *Les Parapluies de Cherbourg*. C'est une célèbre chanson de Pottier qui s'appelle *Elle n'est pas morte*. Le refrain sur Nicolas est de Parizot.

— Tu m'épates, dit Jean-Luc.

C'étaient ses premières paroles et il souriait franchement. Je profitai de cette diversion pour me sauver avant que Charles ne s'empare à nouveau de la parole.

— Je vais faire du patin.

Jean-Jock sauta sur l'occasion.

— Je t'accompagne.

— Je vous retrouve plus tard, dit Jean-Luc.

Et à moi :

— Riche idée, les patins à roulettes, tu as fière allure !

Je l'embrassai, ravie, et après un vague signe de la main à l'intention de Charles je rejoignis Jean-Jock qui m'attendait à la hauteur du comptoir. Aussitôt il me murmura à l'oreille : « Attends-moi dehors, j'arrive. » Quelques secondes après, il sortit et courut en direction de la rue Saint-Jacques. Je le suivis et, grâce à mes patins à roulettes, le rattrapai tout de suite. Il s'arrêta et sortit de sous son blouson une bouteille de whisky à moitié vide.

— Tu ne l'as pas volée ? dis-je incrédule.

— Si. Prise de guerre. On se la boit chez toi pour oublier ce pédant de Charles ?

En montant l'escalier et comme il me demandait si je connaissais *Le Temps des cerises* de Jean-Baptiste Clément, je lui proposai d'écouter la version pour moi merveilleuse de Charles Trenet. Il eut une grimace dégoûtée mais accepta pour me faire plaisir.

Jean-Luc m'avait offert le coffret contenant toutes les chansons de Charles Trenet que nous écoutions souvent quand nous étions à Paris. Nous aimions particulièrement la façon dont il interprétait *Le Temps des cerises*, la profonde mélancolie qui s'en dégageait malgré le joyeux swing de Django Reinhardt.

Jean-Jock n'apprécia pas tout de suite, puis peu à peu s'avoua sensible à la richesse des nuances qu'apportait Charles Trenet. Le whisky que nous buvions consciencieusement y était peut-être pour quelque chose. Nous avions écouté la chanson une dizaine de fois et, comme Jean-Jock disait adorer la guitare de Django, je lui fis découvrir l'adaptation que Charles Trenet et lui avaient tirée de *La Cigale et la Fourmi.* Cela lui plut d'emblée. Il se souvenait de cette fable apprise à l'école, il repassa la chanson trois fois puis se mit à chanter en même temps que Trenet. Malgré sa voix de stentor, il chantait juste, debout dans le salon, en mimant les accords de guitare. J'étais assise par terre et je ne pouvais m'arrêter de rire.

La cigale ayant chanté
Tout l'été,
Se trouva fort dépourvue
Quand la bise fut venue.
Pas un seul petit morceau
De mouche ou de vermisseau.
Elle alla crier famine...

Sans nous en rendre compte, nous étions un peu saouls. Nous n'entendîmes pas la clef dans la serrure, et quand Jean-Luc surgit soudain devant nous Jean-Jock ne put retenir un cri d'effroi. Jean-Luc nous regarda sans rien dire, triste, fatigué. Puis, il prit la bouteille de whisky et alla vider ce qui restait dans l'évier de la cuisine. À son retour, Jean-Jock était toujours debout à la même place, paralysé. Quant à moi, la surprise causée par son apparition m'avait provoqué un violent hoquet que je ne parvenais pas à dissimuler.

Jean-Luc retourna à la cuisine et revint avec un verre d'eau qu'il me tendit.

— Des enfants, dit-il enfin, des enfants. Mais vous avez trop bu et vous devez manger quelque chose. Allons à la pizzeria.

Bien entendu, une fois de plus, Jean-Jock resta dormir sur le divan du salon.

Direction les états généraux du cinéma, donc, puisqu'une importante AG devait avoir lieu et qu'on y réclamait la présence de Jean-Luc. Lui et Jean-Jock m'aidèrent à remonter le boulevard Saint-Michel en me tirant, mais à peine en haut je fonçais droit devant, grisée par l'air frais du matin et la perspective des rues de Paris vides. Armand et ses amis fumaient des cigarettes devant l'école de la rue de Vaugirard et applaudirent mon arrivée. D'autres gens de cinéma que je connaissais à peine me regardaient comme une débile et cela ne fit que renforcer notre bonne humeur. Jean-Luc et Jean-Jock arrivèrent en me traitant de lâcheuse. Mais Jean-Luc entendit une remarque désagréable à mon égard et se retourna aussitôt : « Ma femme fait du patin à roulettes. En quoi ça vous concerne, connard ? » Puis s'adressant à moi : « Je vais écouter un peu ce qu'ils racontent. Je te garde une place au fond de la salle ? » J'acquiesçai. Dès qu'il eut tourné le dos, Pat', l'amie d'Armand, me dit qu'elle tenait elle aussi à acheter une paire de patins à roulettes, je lui donnai l'adresse du magasin de jouets et elle disparut aussitôt pour se les procurer. « Tu fais des émules », commenta

Armand. Je restai un moment avec eux et constatai qu'ils n'étaient guère intéressés par les discours fleuves qui se succédaient dans la salle.

Jean-Luc non plus.

Assis sur la première chaise du dernier rang, il était à l'abri des regards de ses collègues et apte à s'enfuir discrètement dès qu'il en aurait envie. Je m'assis à ses côtés et il me résuma à voix basse ce qui se disait : « Ils se sont constitués en commissions chargées de travailler sur une réforme radicale du cinéma. C'est n'importe quoi ! En quoi des gens aussi différents peuvent-ils s'entendre ? Je n'ai rien à voir avec eux ! » À l'inverse, Jean-Jock, debout et bien en vue au milieu d'une travée, haranguait les personnes sur scène, leur coupait la parole en ponctuant ses interventions de vibrants « Camarade ».

Si quelques-uns protestaient, la plus grande partie l'écoutait respectueusement. Je compris alors à quel point la parole d'un jeune, d'un étudiant, avait pris en trois semaines de l'importance et cela m'irrita. Car d'autres jeunes gens présents faisaient de même, avec désinvolture, et souvent pour ne rien dire. Travaillaient-ils dans le cinéma ? Venaient-ils d'ailleurs ? Leur charabia était identique à celui de la veille, au théâtre de l'Odéon. Un charabia que copiaient maintenant beaucoup de gens de cinéma. Il y avait dans cette assemblée des personnes que j'admirais comme Alain Resnais ou Jacques Rivette, je ne comprenais pas leur apparente disponibilité comme je ne comprenais pas le silence de Jean-Luc. Depuis son retour de Cannes, quelque chose de triste se dégageait de lui. Où était passé son enthousiasme de la première quinzaine du mois de mai ? Pourtant, il y avait dans l'air une gaieté, une joie de vivre à laquelle il était difficile de résister ; une énergie vitale propre à ce lumineux printemps qui me stimulait même si je m'énervais régulièrement contre toutes sortes d'excès.

En fin de journée, nous allâmes assister à la projection du film d'un cinéaste de vingt ans dont le nom commençait à circuler chez quelques initiés et dont Jean-Luc avait vu un reportage qui l'avait impressionné. Il s'appelait Philippe Garrel et son film *Marie pour mémoire.* Nous étions quatre dans la salle, plus l'auteur et le projectionniste, ami qui agissait clandestinement pour ne pas s'attirer les foudres du syndicat des techniciens.

Les images en noir et blanc étaient très belles, c'étaient celles d'un poète, d'un cinéaste inspiré avec qui il allait désormais falloir compter.

Quand la lumière se ralluma, nous étions si émus que personne ne put se décider à parler, à féliciter l'auteur. Jean-Luc semblait le plus bouleversé. Philippe Garrel attendait nos réactions avec calme. Plus tard, j'appris l'importance pour lui de la présence de Godard : il était à l'origine de sa vocation d'artiste, son approbation ou ses critiques orienteraient la suite de sa vie.

Il y avait beaucoup de dignité dans son attente silencieuse et sa personne, comme son film, intimidait. Jean-Luc semblait chercher les mots qui traduiraient au plus juste sa pensée et quand il se décida ce fut dans une sorte de murmure : « Il y a Garrel maintenant, je n'ai plus à faire de films », dit-il. Ce fut au tour de Philippe Garrel d'être ému. « Nous avons besoin de vous, besoin de vos films, ce sont eux qui éclairent notre route », dit-il d'une voix étranglée. Jean-Luc fit non, non, non de la tête, lui serra la main et m'entraîna dehors.

Je le suivis sans rien dire dans son restaurant préféré,

Les Balkans. J'étais désorientée par ce que je venais d'entendre. Puis, comme le silence de part et d'autre se prolongeait, je me risquai :

— Ce n'est pas sérieux, ce que tu as dit à Philippe Garrel ?

— Si. Très sérieux.

— Mais lui et d'autres ont besoin que tu continues à faire des films, il te l'a dit clairement !

Jean-Luc eut une expression douloureuse.

— Je sais. Mais je ne peux plus continuer à faire ce cinéma-là.

— Quel cinéma-là ?

— Celui que vous aimez et que vous me réclamez.

Je lui rappelai qu'il avait eu plusieurs projets entre le début de l'année et le mois d'avril : *Les Gens d'en face* d'après Simenon, *Le Journal du séducteur* d'après Kierkegaard et plus récemment *L'Assassinat de Trotsky*. Il haussa les épaules et me regarda avec lassitude. Peut-être devinait-il ce que je n'osais pas ajouter : « Dans ces trois projets, il y avait de beaux rôles pour moi. » J'essayai un autre biais. Début juin, dans quelques jours, nous partirions pour Londres filmer les Rolling Stones. Il eut un profond soupir.

— Je n'en ai aucune envie. Mais si je ne le faisais pas, les répercussions financières seraient trop lourdes. On devrait hypothéquer ou vendre l'appartement. Tu n'as aucune idée du long crédit que j'ai dû prendre, de mes difficultés financières…

Je dus faire une drôle de tête car il conclut en souriant :

— Bah, on verra bien.

Le lendemain matin, nous partîmes comme la veille pour l'école de la rue de Vaugirard. Je m'étonnai qu'il veuille y retourner après avoir été si critique sur ce qui s'y passait. « Cela me conforte dans mon refus de ce monde-là », dit-il. Comme la veille encore, je l'abandonnai en haut du boulevard Saint-Michel et filai à toute vitesse sur mes patins à roulettes.

À peine étais-je arrivée qu'Armand et Pat' vinrent à ma rencontre. Elle était maintenant chaussée de patins et semblait contrôler très bien la situation. Nous fîmes plusieurs fois le tour du pâté de maisons en riant comme deux gamines. Notre bonne humeur nous attirait la sympathie des passants et les encouragements de nos amis, y compris de Jean-Luc. En s'engouffrant dans l'enceinte de l'école, il s'était retourné et m'avait fait un geste de la main comme pour me dire : « Vas-y, fonce, amuse-toi ! »

À un moment, j'aperçus Jacques Rivette que je connaissais et appréciais énormément. Il dînait souvent avec nous lors du tournage de *La Chinoise*, un an auparavant. L'entendre parler de cinéma m'éblouissait et j'avais beaucoup appris en les écoutant discuter. Jean-Luc disait de son ami : « Rivette sauverait même un navet ! »

Pour l'atteindre, j'opérai un brillant tournant et m'arrêtai pile devant lui, suivie de Pat' qui faillit heurter un lampadaire. Notre arrivée le fit rire aux larmes et il nous félicita pour ce qu'il appela notre « trouvaille ». Quelques années plus tard, quand je verrai son film *Céline et Julie vont en bateau*, je me plairai à imaginer que Pat' et moi lui avions inspiré certaines séquences et que c'était un peu à cause de nous si ses deux héroïnes, Juliet Berto et Dominique Labourier, se déplaçaient en patins à roulettes...

Il rejoignait l'enceinte de l'école, tandis que Jean-Luc en sortait si contrarié qu'il en bouscula Rivette. « J'en ai plus que marre de leurs leçons de morale, de leurs reproches. Je vais rejoindre l'équipe de Chris Marker et les Beaux-Arts, me mettre à leur service… Là-bas, le travail collectif a un sens », me dit-il avant d'ajouter : « Continue à t'amuser et retrouvons-nous en fin de journée chez Bambam et Rosier. » Cette dernière, grâce aux nombreuses astuces d'Émile, était parvenue à regagner Paris au cours de la nuit et Bambam nous avait invités à dîner, rue de Tournon. « Il y aura peut-être Cournot, peut-être Deleuze. » Jean-Luc et moi étions contents de les revoir.

Jean-Luc parti, je continuai à patiner avec Pat'. Nous allions de plus en plus vite, de plus en plus loin, mais revenions toujours à l'école. J'inventai un nouveau jeu. Il s'agissait de faire semblant de tomber dans les bras d'un metteur en scène que je ne connaissais pas mais que j'admirais dans le but d'attirer son attention. Ou, plus simplement, dans les bras d'un homme qui nous semblait séduisant ou sympathique.

Nos victimes nous aidaient à nous relever avec gentillesse et cela s'arrêtait là. Un jeu, somme toute, bien innocent.

Un seul me repoussa. « Tu ne peux pas faire attention, connasse ? » Il s'agissait du cinéaste Jacques Rozier et je fus un peu vexée.

Mais une autre tentative avec le cinéaste Jacques Doniol-Valcroze prit un tour plus inattendu. Nous nous étions déjà croisés lors de projections privées mais cela n'avait jamais dépassé l'échange d'une poignée de main. Il m'invita à prendre un café et j'acceptai avec plaisir.

En fait, il voulait me parler de Jean-Luc et de la toute récente SRF, la Société française des réalisateurs de films, à laquelle il appartenait comme la majorité des gens de cinéma. Jean-Luc avait farouchement refusé d'en faire partie comme il avait refusé de rejoindre l'une des commissions chargées des réformes. Doniol (c'est comme ça qu'on l'appelait) s'en désolait.

— On a besoin de lui mais il ne veut rien entendre. Je me réjouis que vous n'ayez pas été présente ce matin car cela s'est très mal passé. Face à ces refus successifs, la majorité de la profession s'est montrée terriblement agressive. On l'a traité de lâche, de traître, de collabo et autres absurdités. Jean-Luc a répondu par le mépris et déclaré qu'il n'avait plus rien à faire ici. Vous pensez qu'on peut le raisonner ?

J'en doutais fort et je le lui dis. Doniol était de plus en plus désolé.

— François Truffaut aussi refuse. Il s'en explique dans une lettre qu'il m'a adressée. Voulez-vous que je vous la lise ?

J'acquiesçai. Il sortit une enveloppe de la poche de sa veste et en extirpa un feuillet.

— « Je me sens solidaire de Rivette, de Godard ou Rohmer parce que je les aime et admire leur travail, mais je ne veux rien avoir de commun avec... »

Il interrompit sa lecture.

— S'ensuit une liste de réalisateurs membres de la SRF et tous présents dans la salle. Je saute car cela ne serait pas charitable de vous la communiquer et je reprends un peu après. « Faire le même métier ne signifie rien pour moi si l'admiration et l'amitié n'entrent pas en jeu. » Qu'en pensez-vous ?

— Que c'est une bien belle lettre et qu'elle lui ressemble.

J'étais sincère et je me demandais si Jean-Luc était

encore capable d'écrire une pareille lettre, d'employer à propos d'autres cinéastes les mots « solidarité », « admiration » et « amitié ». Il y a un an, oui. Mais maintenant ? Bien sûr, il y avait Philippe Garrel…

Mon visage devait sans que je m'en rende compte se teinter de mélancolie. Doniol se méprit :

— Ne vous en faites pas trop. Toutefois si vous pouvez raisonner Jean-Luc… Vous ai-je dit que j'adore *La Chinoise* ?

Il se leva, paya nos cafés et posa une main amicale sur mon épaule.

— Ma commission redémarre dans cinq minutes, je dois y aller. Je suis content d'avoir fait votre connaissance. On se reverra sûrement bientôt et on aura plus de temps pour bavarder. Mes amitiés à Jean-Luc.

La vie ne nous remit jamais en présence l'un de l'autre et je le regrette.

Ce soir-là, un grand meeting devait avoir lieu au stade Charléty, en présence de Mendès France. Toutes les organisations politiques et syndicales seraient présentes, on attendait plus d'un millier de personnes. J'avais vaguement proposé d'y aller à Jean-Luc. Mais il m'avait répondu que la foule le fatiguait, qu'on ne manquerait pas de lui poser des questions et qu'il n'avait pas envie d'y répondre. Je n'avais pas insisté. Par contre, il s'intéressait davantage à ce qu'on appelait les négociations de Grenelle qui réunissaient le Premier ministre Georges Pompidou, certains membres du gouvernement, l'ensemble des organisations syndicales et du patronat, depuis deux jours.

De passage à l'appartement, j'eus ma mère affolée au téléphone. Son beau-frère, général, l'avait appelée pour la prévenir : « Empêche tes enfants de se rendre au stade Charléty. S'il y a du désordre, l'Armée a ordre d'intervenir. Je ne voudrais pas avoir à tirer sur des gosses et encore moins sur les tiens. » Je la rassurai, elle se détendit. « J'ai eu beaucoup de mal à convaincre ton frère de rester à la maison. Savoir que vous n'y serez pas non plus va atténuer ses regrets. »

J'abandonnai mes patins pour des espadrilles et enfilai une des minirobes offertes par Jean-Luc l'an passé. Devais-je ou pas lui faire part de ce que je venais d'apprendre, de l'intervention possible de l'Armée ? Je choisis de me taire. Connaissant son esprit de contradiction, il était fort capable de s'y précipiter et ça, je ne le désirais pour rien au monde. J'avais à nouveau peur. Je savais que mon oncle avait un grand sens des responsabilités, qu'on pouvait se fier à ce qu'il disait et que oui, peut-être, ce serait dangereux de se rendre au stade Charléty.

Je retrouvai Jean-Luc en pleine discussion avec Cournot à propos des états généraux du cinéma. Cournot avait adhéré la veille à une des commissions et tentait mollement de convaincre Jean-Luc de se joindre à lui. Jean-Luc admettait que quelques idées étaient bonnes, mais il persistait dans cette affirmation : « Je n'ai rien à faire avec ces gens. » Il avait passé toute l'après-midi chez Chris Marker puis à l'École des beaux-arts et semblait détendu.

Rosier avait rapporté du Lavandou des fruits et des légumes en quantité qu'une dame préparait pour le dîner. Bambam et Deleuze n'allaient plus tarder.

Ils arrivèrent, l'un et l'autre de très bonne humeur. Surtout Deleuze qui venait d'acheter une veste d'ouvrier charpentier, noire, lustrée, comme en portaient la plupart des étudiants et des étudiantes. Il paradait devant nous, attendant nos compliments. Rosier trouva les mots justes et Cournot eut un grognement énigmatique. Seul Jean-Luc se taisait. Mais comme on sollicitait son avis, il finit par le donner.

— Deleuze a l'air d'un gardien de zoo.

Cournot hurla de rire.

— C'est ça, c'est exactement ça : tu as l'air d'un gardien de zoo, Gilles !

Son rire me gagna aussitôt comme il gagna Bambam. Rosier faisait de louables efforts pour ne pas nous imiter et c'était irrésistible de voir le contraste entre la mine désolée de Deleuze et le visage impassible de Jean-Luc qui à cet instant ressemblait vraiment à Buster Keaton. Beau joueur, Deleuze se reprit et avec un sourire qu'il savait irrésistible :

— De nos jours et dans le milieu étudiant, il vaut mieux ressembler à un gardien de zoo qu'à un mandarin.

Il vanta les relations passionnantes qu'il avait établies avec des étudiants et des étudiantes de Paris, l'acuité de leurs analyses politiques.

— J'apprends beaucoup à leur contact. Ces jeunes gens nous donnent une formidable leçon et nous avons tout à gagner à les écouter, à nous rendre disponibles, quitte à laisser tomber tous nos vieux schémas.

Je dus avoir une grimace exaspérée et il se méprit.

— Je ne parle pas pour vous, Anne, vous avez leur âge. Je parle pour nous, vos aînés, ceux qui ont quarante ans.

Je faillis lui répondre que « mes aînés » valaient beaucoup plus que ces masses de jeunes, que l'admiration qu'on leur portait touchait à l'idolâtrie. Ma génération avait tout à apprendre de la leur et moi, depuis ma rencontre avec Jean-Luc, j'apprenais tous les jours. Si je me tus c'est parce que Jean-Luc, Bambam et Rosier lui emboîtèrent le pas. J'aurais bien aimé savoir ce qu'en pensait Cournot mais, comme souvent, il ne dit rien.

Quand nous rentrâmes, Jean-Luc alluma le transistor. Tout se passait dans le calme au stade Charléty, et après vingt-cinq heures de discussions un protocole avait été établi, rue de Grenelle. Malgré la satisfaction apparente du gouvernement, des syndicats et du patronat, les ouvriers de Renault de Flins refusèrent de signer. « Ce sont eux qui ont raison, commenta Jean-Luc avec amertume. Les syndicats, comme d'habitude, ont trahi la classe ouvrière. »

Pourtant, le surlendemain, le 29 mai, il tint à participer à la manifestation organisée par la CGT. J'avais mal à la gorge et pris ce prétexte pour rester chez nous. Étendue sur le lit, j'écoutais Europe numéro 1. Je regardais aussi avec bonheur la une de *France-Soir* qui montrait Dany la veille, à la Sorbonne. Il était rentré clandestinement en France, ses cheveux roux teints en noir. Comment avait-il fait, où se cachait-il ? Nous ne le saurons que bien plus tard. Mais quel pied de nez au pouvoir !

La manifestation suivait son cours. Le cortège allait de la Bastille à Saint-Lazare et on estimait le nombre des participants entre trois cent mille et quatre cent mille. Les slogans lancés par la CGT et repris par la foule semblaient bien académiques après les joyeux et inventifs slogans des manifestations étudiantes. Un service d'ordre parfait l'encadrait, tout débordement était impossible.

Ce retour à la monotonie me paraissait déprimant, quand tout à coup quelqu'un lança : « De Gaulle, vampire ! » « De Gaulle, vampire ! » répétèrent sur-le-champ une centaine de voix. Il y eut trois ou quatre secondes de flottement, puis les puissants haut-parleurs de la CGT reprirent les slogans du début. Ce fut si bref que je n'étais pas sûre d'avoir bien entendu. Car cette voix anonyme, il m'avait semblé la reconnaître : c'était celle de Jean-Luc.

À la maison, il me le confirma. Jean-Jock qui l'accompagnait en riait encore.

— Tu aurais dû voir la tronche des gros bras de la CGT, ils ont failli nous casser la gueule ! dit-il.

— Mais pourquoi « vampire » ?

— Le cortège passait devant un cinéma qui donnait un film de vampires, répondit Jean-Luc. Ta gorge va mieux ?

Le lendemain, à Paris, il y eut encore une autre grande manifestation, mais d'un tout autre genre.

Le président de la République, dans un discours à la radio, avait annoncé la dissolution du gouvernement et ses partisans avaient immédiatement appelé à une manifestation de soutien au général de Gaulle. Des milliers de personnes remontèrent les Champs-Élysées jusqu'à l'Arc de triomphe. Beaucoup de jeunes agitaient des drapeaux bleu, blanc, rouge, et entre deux slogans on chantait *La Marseillaise.* Massés sur les trottoirs, des centaines d'autres applaudissaient et criaient : « Vive de Gaulle ! Vive le président de tous les Français ! » L'ambiance était festive, tous ces gens semblaient heureux de se montrer, de se rassembler. Où étaient-ils avant ?

Soudain, il y eut cet atroce slogan : « Cohn-Bendit à Dachau ! », mais il ne fut pas repris et sans doute venait-il d'un petit groupe d'extrême droite désireux d'en découdre et vite maîtrisé par le service d'ordre.

L'ennui pour mon frère et moi qui l'aimions, c'était qu'il y avait en tête du cortège notre grand-père, François Mauriac. Je n'étais pas choquée par sa présence, connaissant sa fidélité absolue au Général, mais j'étais choquée par l'image que donnaient André Malraux et lui : on aurait dit un gâteux donnant le bras à un drogué ou l'inverse. Les photos dans la presse, les images à la télévision me firent de la peine et mirent Jean-Luc dans un absurde état de fureur. Il était justement sur le point de lui faire parvenir un tract dénonçant l'état critique de certains étudiants hospitalisés et la nécessité pour les médecins de connaître la composition exacte de certains gaz. Lui et mon grand-père avaient même évoqué la possibilité de se rendre ensemble au chevet de ces malades. Jean-Luc, comme beaucoup d'entre nous, avait été touché qu'il ait tout de suite répondu positivement à l'appel du professeur Jacques Monod après les premières nuits de violences policières. Il avait signé ainsi que trois autres Prix Nobel, André Lwoff, François Jacob et Alfred Kastler, ce télégramme adressé au général de Gaulle : « Vous demandons instamment faire personnellement geste susceptible apaiser révolte des étudiants. Amnistie des étudiants condamnés. Réouverture des facultés. Profonds respects. »

Malgré cela, Jean-Luc avait rageusement rajouté sur le tract que Pierre et moi devions apporter à notre grand-père : « Vous n'avez pas honte ? À votre âge et si près de la mort ? »

Pierre et moi étions consternés par cette grossièreté cruelle : François Mauriac annulerait certainement aussitôt son intervention dans les hôpitaux. Nous avions sans succès tenté de le dissuader et Jean-Luc s'obstina. Pierre repartit chargé de l'horrible message. En fin de journée, il m'appela pour me raconter ce qui avait suivi.

— Je ne l'ai pas donné tout de suite tant je savais le drame que ça allait provoquer. Mais Jean-Luc lui a téléphoné pour lui demander si je lui avais donné le tract et ce qu'il en pensait. Alors il m'a fait appeler et j'ai dû le lui apporter. Il est alors entré dans une colère noire, allant de l'un à l'autre, le tract à la main et criant : « Vous avez vu ce qu'il m'écrit ? » Et quand Jean-Luc s'est pointé, il a bien sûr trouvé porte close.

Car Jean-Luc, dans son inconscience, s'était effectivement présenté pour conduire notre grand-père dans les hôpitaux comme ils en avaient eu le projet quarante-huit heures auparavant.

Je lui en voulais tellement que je ne lui adressai plus la parole de la soirée et m'endormis en lui tournant le dos, à l'autre extrémité du lit.

Le lendemain commençait le week-end de la Pentecôte et la plupart des pompes à essence furent réapprovisionnées.

L'avion qui nous amenait à Londres appartenait à une compagnie privée, les lignes aériennes françaises n'avaient pas toutes repris le travail. L'enregistrement du disque des Rolling Stones commençait le lendemain soir et le producteur du film ne voulait prendre aucun risque. Jean-Luc, lié par le contrat qu'il avait signé, enrageait : « En plus, on trahit les ouvriers en grève ! » Et comme je ne lui répondais pas : « On est des jaunes ! Tu sais ce que ça veut dire, les jaunes ? » Je savais et je lui serrai la main pour l'apaiser.

J'avais peur, si je parlais, d'exprimer trop franchement l'excitation que j'éprouvais à l'idée de rencontrer les Rolling Stones ; ma joie ; mon soulagement de quitter pour quelques jours Paris. Je lui en voulais moins de l'horrible ajout sur le tract. Au téléphone, Pierre m'avait rapporté cette phrase de notre grand-père à propos de Jean-Luc : « Ce n'est pas parce qu'il s'imagine que j'ai un pied dans la tombe qu'il faut me marcher sur l'autre. » C'était une de ses phrases préférées, la preuve que son sens de l'humour l'avait emporté sur sa colère.

Quelque temps auparavant, lors d'un bref aller-retour

à Londres, Jean-Luc avait rencontré son nouveau producteur, Iain Quarrier, et Mick Jagger. Ce dernier s'était montré plutôt favorable à l'idée qu'on les filme en plein travail et demandait seulement qu'on se fasse le plus discrets possible : les créateurs, c'étaient lui et les Stones, pas Jean-Luc. Ils étaient tombés tout de suite d'accord : chacun aurait sa place et n'empiéterait pas sur celle de l'autre.

Je passai ma première journée à me promener dans Londres seule tandis que Jean-Luc, arrivé tôt au studio, étudiait les possibilités que lui donnait l'espace encombré d'objets divers, les places qu'occuperaient les musiciens, leurs instruments et leurs micros.

Quand je le rejoignis pour dîner, il faisait installer les rails d'un travelling qui dessinait sur le sol une sorte de huit. Des techniciens anglais suivaient sans broncher ses indications.

Nous dînâmes dans un pub. Jean-Luc semblait détendu et comme soulagé, lui aussi, de se trouver à Londres pour faire un film. Du moins, c'est l'impression qu'il me donna.

Puis, nous retournâmes au studio pour attendre les Stones qui devaient arriver vers les dix heures et qui débarquèrent en ordre dispersé aux alentours de minuit. Jean-Luc restait calme, ne s'impatientait pas, répétait avec les machinistes anglais les mouvements du travelling. La caméra 35 mm était pourvue d'un magasin capable de filmer des plans-séquences de douze minutes et c'était ce qu'il souhaitait. Moi, j'avais repris mon Pentax, l'appareil photo que je n'avais pas voulu sortir de l'appartement durant le mois de mai tant j'avais peur qu'on me le brise.

Mick Jagger arriva le premier et s'entretint quelques minutes avec Jean-Luc. Quand il comprit que j'étais sa femme, il me fit des sourires charmeurs comme il en faisait avec à peu près tout le monde. N'empêche, j'étais aux anges, comblée.

Puis apparurent Brian Jones, Charlie Watts, Bill Wyman et enfin Keith Richards au bras d'Anita Pallenberg. Il y eut tout d'un coup beaucoup de monde dans le studio. À l'inverse de Mick Jagger, ils n'eurent pas un regard pour nous, ni pour la caméra et pour l'équipe de cinéma. Nous étions devenus transparents. On nous avait prévenus que la chanson qu'ils s'apprêtaient à enregistrer et que Jean-Luc filmerait s'appelait *Sympathy for the Devil.*

Ils commencèrent par accorder leurs instruments et régler leurs micros. Ce n'étaient encore que des tâtonnements mais l'ambiance devint immédiatement électrique. Sous l'impulsion de Mick Jagger, ils cherchaient, improvisaient. Des joints circulaient entre eux et ceux qui les accompagnaient. Une table avait été dressée dans un coin avec de quoi manger et boire.

Le temps passait sans que l'on s'en rende compte. Des thèmes revenaient, débouchant sur des improvisations qui convenaient à Mick Jagger ou qui, à l'inverse, le mettaient en colère. Alors, il s'interrompait, quittait sa place, tournait en rond, cherchant une solution. On l'entendait murmurer des « Oh, shit ! » rageurs. Il était très concentré mais cela ne l'empêchait pas d'adresser à Jean-Luc et à la caméra un de ses sourires ravageurs, histoire de vérifier le pouvoir de son charme. Jean-Luc, impassible, filmait tout et moi, fascinée, je prenais des photos. Puis leur travail reprenait et la voix si singulière de Mick Jagger envoûtait le studio.

Keith Richards jouait guitare et basse pieds nus, dans un jean qui moulait tous les détails de son anatomie. Il avait souvent les yeux mi-clos. Peut-être parce qu'il n'était jamais dans la séduction, parce qu'il nous ignorait et nous ignorera jusqu'au bout, je le trouvais encore plus sexy que Mick Jagger. Jean-Luc s'en était aperçu et s'en amusait. « Il te plaît, ce Stone », me dit-il pendant une pause.

Lors d'une reprise qui semblait devoir durer, Keith Richards posa sa guitare, prit Anita Pallenberg par la main et l'entraîna derrière un paravent. Ses camarades cessèrent aussitôt de jouer sans la moindre mauvaise humeur. Mick Jagger vint trouver Jean-Luc. « Ils font l'amour, alors on attend, dit-il complice. — Alors, nous attendons aussi », répondit Jean-Luc en cessant de filmer tandis que des techniciens fixaient le paravent pour surprendre un peu de leurs ébats.

Ils revinrent et le travail reprit. Un thème musical paraissait se dégager qu'une oreille plus avertie que la mienne aurait su décrire. J'avais complètement perdu le sens du temps et j'admirais la puissance de leur concentration, de même que celle de Jean-Luc que je trouvais beau, aussi séduisant que les Stones. À un moment précis, Mick Jagger décida que c'était terminé et qu'on reprendrait le soir.

Quand nous nous retrouvâmes tous, musiciens et techniciens confondus, sur le trottoir devant le studio, je fus étonnée de constater qu'il faisait jour, que les Londoniens se pressaient dans les rues vers leurs lieux de travail et qu'il existait une autre vie : il était huit heures du matin.

Se coucher, s'endormir dans les bras l'un de l'autre nous rendirent heureux. C'était quand il filmait, quand il créait, que Jean-Luc me plaisait le plus. Je lui murmurai que j'étais amoureuse d'un cinéaste, pas d'un militant doublé d'un commissaire politique. « De quoi tu parles ? » eut-il la force de me dire avant de sombrer dans le sommeil.

Jean-Luc avait passé une partie de l'après-midi au studio pour apporter quelques modifications au travelling de la veille. Les rails dessinaient toujours une sorte de huit sur le sol, c'étaient des modifications de quelques centimètres, indiscernables. En fait, il cherchait, animé par un désir de perfection qui me touchait beaucoup et qui me rappelait les tournages de *La Chinoise* et de *Week-end.*

Les Stones arrivèrent plus tôt et groupés. Ils semblaient reposés et de bonne humeur, se faisant des blagues que nous ne comprenions pas. Seul Brian Jones restait à l'écart, comme perdu dans une rêverie solitaire. On se rendra compte ensuite, en visionnant les rushes, qu'il était toujours de dos.

Les thèmes ébauchés la veille reprirent plus affirmés avec encore de longues improvisations, des hésitations, des erreurs. Mick Jagger s'interrompait souvent et s'isolait en marmonnant ce que nous supposions être son texte entrecoupé de bruyants « Oh shit ! ». Les autres l'attendaient sans manifester d'impatience, puis tout repartait avec une énergie décuplée. Jean-Luc et la caméra tournaient autour d'eux dans de longs panoramiques.

Vers deux heures du matin, une quinzaine de leurs amis débarquèrent, de jeunes noctambules fêtards, représentatifs du « Swinging London », comme on disait alors. Parmi eux, je reconnus Marianne Faithfull et l'acteur James Fox. L'ambiance devint mondaine, il y eut une longue pause à laquelle Mick Jagger décida soudain de mettre un terme : c'était vraiment le chef. Certains de leurs amis quittèrent le studio pour continuer la fête ailleurs, d'autres restèrent dont Marianne Faithfull. Elle se mêla au chœur que formaient les Stones autour de Mick Jagger. Leur chanson commençait à s'affirmer et, pour les témoins dont je faisais partie, c'était incroyable d'assister à un tel moment de création.

Au bout de la nuit, ils étaient parvenus, malgré des erreurs et de nouvelles longues improvisations, à une ébauche de maquette dont Mick Jagger se déclara satisfait. Il était content et bavarda un moment avec Jean-Luc, lui demandant son avis sur tel ou tel morceau. Jean-Luc improvisait des réponses qui convenaient parfaitement au chanteur. « Quelle pute ! » commenta-t-il avec admiration dans le taxi qui nous ramenait à l'hôtel.

La troisième nuit commença avec entrain. Les Stones sentaient qu'ils avaient progressé, que les thèmes élaborés la veille s'avéraient les bons. Anita Pallenberg et Marianne Faithfull les accompagnaient et les encourageaient. Certains morceaux étaient repris obsessionnellement, les Stones et leurs deux compagnes entraient alors en transes. On était toujours en plein travail de création mais c'était déjà presque un spectacle. Les amis qui passaient le leur confirmaient en marquant le rythme et en dansant. À plusieurs reprises, Jean-Luc dut intervenir car ils empiétaient sur les rails du travelling ou se trouvaient dans le champ. Comme personne n'obéissait, ce fut Mick Jagger qui leur demanda de quitter le studio. Il était visiblement soucieux que le film se tourne dans les meilleures conditions tandis que les autres Stones continuaient à nous ignorer.

Nous étions tous si pris par la musique que personne ne remarqua l'agitation sonore qui grandissait à l'extérieur du studio où tout aurait dû être silencieux. Des personnes firent soudain irruption pour nous prévenir que l'immeuble était en feu et que nous devions d'urgence l'évacuer. Après quelques secondes de stupeur, chacun prit ce qu'il pouvait et se rua vers la sortie. Des inconnus nous aidaient en emportant la caméra, les instruments de musique, tout ce qui avait contribué à l'enregistrement de la maquette de *Sympathy for the Devil*. Ces inconnus, qui faisaient partie du studio, étaient remarquables d'efficacité et sauvèrent l'essentiel.

Regroupés sur le trottoir d'en face, nous suivions le travail des pompiers arrivés depuis peu, leur lutte contre le feu. Parfois l'un d'entre eux nous demandait de reculer, craignant des explosions. Mais il n'y en avait pas et nous revenions nous poster en face de l'incendie. C'était un spectacle tellement fascinant que personne ne songeait à s'en aller. Les Stones étaient particulièrement excités. Ils faisaient circuler généreusement des joints et des bouteilles de whisky, et les techniciens comme le personnel du studio en profitaient joyeusement. L'ambiance tournait à une fête psychédélique. Keith Richards, qui n'avait pas quitté sa guitare, se mit à improviser des accords proches de ceux qu'ils avaient trouvés la veille. Marianne Faithfull et Anita Pallenberg dansaient seules ou entre elles.

Aux premières lueurs de l'aube, l'incendie fut définitivement maîtrisé. Le chef des pompiers et le directeur du studio demandèrent à voir Mick Jagger et Jean-Luc pour les informer que l'enregistrement du disque ne pourrait pas reprendre avant plusieurs jours.

— Oh, shit ! dit l'un.

— Chouette, on rentre à Paris ! dit l'autre.

Nous prenions notre petit déjeuner dans la chambre et Jean-Luc alluma machinalement la télévision. On venait d'assassiner le sénateur Robert Kennedy à Los Angeles, les images qui passaient en boucle le montraient s'écroulant sous les balles. Le premier moment de stupeur passé, j'éclatai en sanglots. Ce n'était pas seulement à cause de lui et de la sauvagerie de cet assassinat que je pleurais : je revivais celui de son frère, et de son prétendu meurtrier, Lee Oswald, la mort de mon père, peu après. Jean-Luc, moins ému par cette nouvelle que par mes larmes, tentait de me calmer. J'essayais de lui expliquer mais il ne pouvait pas comprendre. Alors, il me berça longuement dans ses bras, en silence, tentant de dissimuler son agacement.

Plus tard, dans l'avion du retour, j'étais encore sous le choc tandis que lui cherchait les conséquences que l'élimination de Robert Kennedy pourrait avoir sur la guerre au Vietnam. « Je me demande comment Charles analyse cette nouvelle donne ! » Charles ? je l'avais complètement oublié celui-là.

Cela faisait à peine quatre jours que nous avions quitté Paris et tout avait changé. Les voitures roulaient de nouveau, les montagnes de détritus n'encombraient plus les trottoirs, les rues pavées avaient été recouvertes de goudron. En ouvrant en grand les fenêtres pour aérer l'appartement, je sentis encore un peu la tenace puanteur des gaz. Je regardai la rue Saint-Jacques et découvris avec effroi que le drapeau rouge ne flottait plus sur le dôme de la Sorbonne. On aurait dit qu'elle avait été décapitée et mon chagrin s'en trouva accru.

— Le beau mois de mai est bel et bien fini.

— Non, camarade.

Jean-Luc brandit le poing et en imitant Jean-Jock :

— Ce n'est qu'un début, continuons le combat !

Le 7 juin, tout le monde ou presque avait repris le travail. Les étudiants préparaient leurs examens de fin d'année, les lycéens, dont mon frère Pierre, le baccalauréat. Il se réjouissait car on avait supprimé l'écrit. Mais il restait l'oral, il ne voulait pas échouer et révisait beaucoup. Grâce à sa mobylette, il venait souvent dans le Quartier latin. Le théâtre de l'Odéon était toujours occupé mais il n'y mettait pas les pieds : lui et moi détestions l'atmosphère qui y régnait.

Jean-Luc avait rejoint ses amis maoïstes qui fréquentaient des groupes d'ouvriers pour qui les accords de Grenelle étaient une vaste tromperie. Pour eux, la lutte se poursuivait, se durcissait. L'ensemble des Français n'était plus de leur côté mais du côté de l'ordre et attendait avec impatience les élections législatives. Comme ma famille, ils croyaient en une écrasante majorité gaulliste.

Le 10 juin, à Flins, lors de violents affrontements entre les forces de l'ordre, des ouvriers et des étudiants venus les soutenir, un jeune homme, Gilles Tautin, trouva la mort. Poursuivi par des policiers déchaînés, il s'était jeté à l'eau dans l'espoir de leur échapper et s'y était noyé.

Le retentissement de cette mort fut énorme, même dans l'opinion publique. Le lendemain, une grande manifestation de deuil et de protestation eut lieu. Jean-Luc, Rosier, Bambam et moi y participions, entourés de Jean-Jock, d'amis artistes et techniciens venus du cinéma et du théâtre.

On était loin de l'esprit joyeux des manifestations de mai, c'était quelque chose d'inconnu, un mélange de vrai chagrin, de volonté de vengeance et de haine. Même Jean-Jock ne chantait plus.

À plusieurs reprises, des inconnus, reconnaissant Jean-Luc, vinrent lui parler. Certains lui réclamaient des comptes avec agressivité, lui reprochaient ses silences ou à l'inverse des propos déformés. D'autres, des sympathisants, ne sachant plus quoi penser, lui demandaient des solutions, quels chemins prendre. Eux mettaient en lui des espoirs démesurés. Encore plus perdu, Jean-Luc ne pouvait que leur dire : « Je ne sais pas. » Des scènes de ce genre avaient déjà eu lieu lors des dernières manifestations de mai, mais Jean-Luc me sembla, ce 11 juin, plus atteint, plus désespéré : il ne savait vraiment pas quoi répondre. Un groupe de jeunes instituteurs insista : « Mais vous êtes une personnalité publique, vous avez su anticiper ce qui se passe dans *La Chinoise*, vous devez nous éclairer. » Bambam, sensible au malaise grandissant de Jean-Luc, les écarta gentiment.

Plus le temps passait, plus l'atmosphère devenait agressive et haineuse envers le gouvernement, les syndicats ouvriers et les syndicats étudiants. Certains manifestants affirmaient maintenant haut et fort leur envie d'en découdre, d'autres leur déception et leur rancœur. D'autres encore, dont beaucoup de nos amis artistes, quittaient le cortège, sentant que ça allait mal tourner.

C'est ce que Bambam décida de faire et cela parut soulager Jean-Luc. Il était près de sept heures, il nous proposa d'aller dîner au Balzar. Jean-Jock hésita un court moment puis choisit de rester « pour voir ce qui va se passer ». « Tu nous feras un rapport, camarade commissaire politique ? » tenta de plaisanter Jean-Luc. Jean-Jock promit.

Installés à nos places habituelles au Balzar, nous nous taisions. Jean-Luc paraissait si perdu que Rosier n'avait plus envie de le taquiner. Pour elle, cela devait représenter un gros effort et c'est peut-être ce qui aida Jean-Luc à parler.

— Je ne comprends pas ce qu'ils attendent de moi, ceux qui me veulent du bien comme ceux qui me veulent du mal.

Rosier hésita, puis avec tact :

— Comme l'a dit un des instituteurs, vous êtes pour eux une personne publique, un oracle, une star, une sorte de dieu.

— Comment ça ? Comment ça ?

Rosier avait raison. Je me rappelai l'accueil idolâtre qu'il avait reçu à Cuba, dans les campus universitaires américains, et la façon sincère avec laquelle Jean-Luc l'ignorait ; l'émotion que j'avais éprouvée en voyant qu'il ne se rendait compte de rien. Ainsi il avait fallu le mois de mai 1968 pour qu'il perde cette candeur ? Il semblait le découvrir aussi et dit avec une sorte de fermeté désespérée :

— Alors, je vais disparaître, me mettre au service des autres.

À cet instant eut lieu une première explosion suivie de cris, d'appels, de bris de verre et des sirènes des pompiers : une nouvelle nuit d'émeutes commençait. Bambam s'empressa de payer et nous quittâmes la brasserie, bien décidés à regagner nos domiciles respectifs.

Les forces de l'ordre remontaient en rangs serrés le boulevard Saint-Michel en direction de la place Edmond-Rostand. Ils étaient armés, casqués et avançaient à petites foulées rapides, comme des soldats. Ceux qui se trouvaient en tête lançaient ce que nous sûmes plus tard être des grenades offensives. D'autres des gaz lacrymogènes. Du côté de la rue Soufflot et de la rue Gay-Lussac nous entendîmes de nouvelles explosions et des flammes jaillirent en haut du boulevard : on avait mis le feu à des voitures.

Boulevard Saint-Germain, à l'angle de la rue Saint-Jacques, les cars des forces de l'ordre attendaient, en renfort. Mais ces cars avaient changé, ils étaient maintenant blindés, on aurait dit des tanks de guerre.

Grâce à nos passeports suisses, on nous laissa passer, et arrivés de l'autre côté du boulevard nous vîmes un début de barricade se construire place Maubert, des panneaux électoraux incendiés. Des forces de l'ordre en grand nombre jaillirent des cars blindés. En à peine dix minutes une violence inouïe avait enflammé le Quartier latin. « Filons », dit Jean-Luc qui m'entraîna en courant vers notre immeuble.

Nous nous écroulâmes à bout de souffle sur les premières marches de l'escalier, attentifs aux bruits qui nous parvenaient du dehors et qui nous confirmèrent que c'était bien du côté de la place Maubert que les combats avaient lieu. J'entendais les battements désordonnés de son cœur et du mien. Je les écoutai se calmer, reprendre leur rythme normal.

— Porte-moi, dis-je soudain.

— Quoi ? Maintenant ?

Jean-Luc était stupéfait.

— Oui, maintenant. J'ai eu si peur, j'en ai encore les jambes coupées...

C'était à peine exagéré. Mes yeux pleuraient, irrités par les gaz lacrymogènes. Jean-Luc se laissa attendrir, disposa mes bras autour de son cou et me souleva de terre. Un peu moins vite peut-être que d'autres fois, il gravit deux à deux les marches jusqu'à notre appartement. Une fois à l'abri de l'autre côté de la porte verrouillée, il me déposa sur le sol mais me garda serrée contre lui.

— Moi aussi, j'ai eu peur, murmura-t-il.

Puis sur un ton fiérot et en me détachant de lui :

— Mais je n'en ai pas les jambes coupées, moi !

Notre première pensée fut pour Rosier et Bambam. Avaient-ils pu traverser le boulevard Saint-Michel au milieu des forces de l'ordre qui montaient à l'assaut ? Rejoindre la rue de Tournon ?

Ce fut Bambam qui répondit : comme nous, ils venaient juste d'arriver. Il décrivit ce qu'il voyait derrière les grandes baies vitrées : les ambulances bloquées volontairement par les forces de police, les journalistes refoulés.

— Tout a l'air de se concentrer vers le Panthéon mais je ne peux pas en voir plus hormis quelques flammes, un épais nuage de fumée d'incendie mêlé à celui des gaz lacrymogènes qui arrivent jusqu'à nous et qui infectent l'air. On devrait écouter la radio.

Nous allumâmes le transistor branché sur Europe numéro 1. Un journaliste tentait de raconter ce à quoi il assistait, place du Panthéon. À cause du bruit infernal des explosions et des sirènes, il devait crier pour se faire entendre. De sa voix éraillée, il expliquait qu'il était un des premiers journalistes à être arrivé sur les lieux. La situation lui semblait extrêmement confuse. Il distinguait plusieurs groupes, sans lien entre eux, sans leader et sans mot d'ordre. Seuls quelques étudiants qu'il pensait appartenir à l'UNEF et munis de haut-parleurs rappelaient sans arrêt : « Rentrez chez vous, ne vous laissez pas manipuler... La manifestation de deuil est terminée depuis longtemps... Rentrez chez vous. » En vain. Le journaliste toussait, évoquait la puissance des gaz. Un groupe d'une centaine de jeunes, tous dissimulés derrière des foulards, souvent casqués et armés de cocktails Molotov, lui paraissait particulièrement dangereux car visiblement très déterminé à se battre. Ils ne se parlaient pas entre eux, ne criaient aucun slogan. « Ils me font penser à un commando entraîné à la guérilla urbaine », commenta le journaliste.

Le téléphone sonna, Jean-Luc répondit : « Oui, nous sommes là. Non. Je vous passe votre fille. » Il me tendit le combiné.

— Ta mère.

Ma mère aussi écoutait Europe numéro 1 et était très inquiète car elle n'avait aucune nouvelle de Pierre. J'essayai de la rassurer mais je fus vite gagnée par son inquiétude : Pierre était sûrement dans le Quartier latin. Je promis à ma mère de l'appeler s'il sonnait chez nous et lui fis jurer de faire la même chose quand il serait rentré. Nous étions maintenant liées par la même angoisse.

— Pourvu que ton frère ne soit pas au Panthéon, dit Jean-Luc. Ça tourne mal.

Le journaliste continuait d'une voix cassée qui trahissait une vraie frayeur. Il avait tenté d'approcher le groupe armé mais ceux du premier rang l'avaient brutalement écarté. Puis le groupe s'était approché du commissariat de police. Maintenant, il l'attaquait en lançant des cocktails Molotov. Ils disposaient d'un véritable arsenal car à peine leurs mains vides, de nouveaux cocktails apparaissaient. « C'est du jamais vu ! » haletait le journaliste. Malgré sa frayeur, il continuait en direct à nous informer. Les portes du commissariat se fermèrent et une partie des attaquants tentèrent de la défoncer. Mais très vite la riposte vint. Des policiers, du premier étage, lancèrent des grenades qui en éclatant sur le trottoir blessèrent plusieurs d'entre eux. « Oh, mon Dieu, des grenades offensives, comme en temps de guerre... Pour la première fois », s'affola presque le journaliste. Un policier tira plusieurs coups de revolver en l'air qui semèrent un début de panique. Des manifestants s'enfuirent tandis que d'autres, à l'inverse, rejoignirent les rangs du commando. Des sirènes au loin annonçaient l'arrivée massive des forces de l'ordre appelées en renfort et celle, enfin, de quelques ambulances.

Le téléphone sonna et ce fut moi qui décrochai. C'était mon frère qui arrivait tout juste rue François-Gérard. Il venait du Panthéon et confirma ce qu'on entendait. Maman et lui écoutaient aussi Europe numéro 1. Je tendis l'écouteur à Jean-Luc.

— Après l'appel à la dispersion de cette sinistre manif, j'ai suivi au hasard un groupe de jeunes et me suis retrouvé au Panthéon, près de ces fous furieux. Quand ils ont attaqué le commissariat, je les ai suivis...

Jean-Luc prit le combiné et moi l'écouteur.

— Tu es complètement cinglé, dit-il. Tu aurais dû t'enfuir.

— J'avais mon appareil photo et des flashes, je voulais prendre des photos. Mais quand les flics du premier étage ont balancé des grenades offensives, il y en a eu une qui a explosé tout près de moi, et là j'ai eu très peur et me suis carapaté rue de Vaugirard où j'avais planqué ma mobylette.

Jean-Luc allait poser une question mais Pierre le devança.

— Je n'ai aucune idée de qui étaient ces dingues. Ils viennent d'ailleurs, on ne les a jamais vus... Des voyous là pour détruire et pour piller, sans doute.

— Des voyous manipulés par la police ? Des provocateurs ? Ces fameux Katangais qui foutent la merde à la Sorbonne et dont les étudiants n'arrivent pas à se débarrasser ?

— Peut-être... Même présent lors de l'attaque, je ne peux pas t'en dire plus.

Ils échangèrent encore quelques mots et Pierre conclut.

— Demain, quoi qu'il se passe, je ne bouge pas et je révise : le bac approche et j'ai aussi peur de le rater que j'ai eu peur au Panthéon.

Le journaliste dont on écoutait le direct avait passé l'antenne à son collègue qui se trouvait place Maubert et qui raconta que les forces de l'ordre avaient repris le contrôle. Il y avait beaucoup de blessés à terre du côté des manifestants, sur lesquels les policiers s'acharnaient à coups de pied, à coups de matraque avec une rage et une violence qui faisaient vibrer sa voix. On entendit très distinctement ces policiers injurier le journaliste et le sommer de déguerpir sous peine de subir le même sort. La phrase « On en a marre de vos radios de merde » fut répétée plusieurs fois.

Puis ce fut un troisième journaliste qui prit l'antenne en direct : boulevard Saint-Germain, d'autres groupes mettaient le feu à tous les panneaux électoraux. Un quatrième décrivit la même chose boulevard de Bonne-Nouvelle.

Jean-Luc éteignit le transistor avec brusquerie.

— Je les hais, dit-il. J'aurais bien aimé être de ceux qui ont attaqué le commissariat de police, on devrait attaquer partout les commissariats... Ah non, la lutte n'est pas finie, elle ne fait que commencer au contraire.

La haine que je lisais sur son visage confirmait ses propos et m'effraya. Je me couchai sans ajouter un seul mot.

Les quotidiens du matin firent leur une sur des rues de Paris dévastées et annoncèrent plus de deux mille interpellations, dont quarante-deux furent maintenues. Marcellin, le récent ministre de l'Intérieur, interdit toute forme de manifestation. Sa nomination avait pour but de montrer le durcissement du gouvernement, il venait d'en donner la preuve éclatante.

Dans la nuit du 14 au 15, les étudiants expulsèrent ceux qu'on appelait les Katangais de la Sorbonne. Ces derniers allèrent se réfugier dans le théâtre de l'Odéon où il ne restait plus que des chômeurs ou des sans-abri. Les forces de l'ordre intervinrent à leur tour et récupérèrent le théâtre sans difficulté. Les récits sur l'état des lieux ternirent l'image du mois de mai.

Au durcissement du gouvernement répondit le durcissement d'étudiants et d'ouvriers. Des deux côtés, on se radicalisait et de violents affrontements avaient lieu aux portes des usines.

Jean-Luc se rendit en province pour apporter du matériel de cinéma à des ouvriers en lutte. Il était sorti de sa réserve et voulait participer aux différentes formes de résistance. Comme il nous l'avait dit, il se mettait au service de qui faisait appel à lui. Il recevait qui voulait le voir avec une humilité qui me stupéfiait. Quand je rentrais à la maison, je le trouvais avec des jeunes gens. Ceux-ci parlaient avec assurance comme s'ils étaient les seuls à détenir un savoir, lui écoutait. Dans ces cas-là, je m'asseyais parmi eux et, selon mon habitude, je ne disais rien. Mon silence les mettait vite mal à l'aise et ils ne dissimulaient guère ce qu'ils pensaient de moi : j'étais une bourgeoise à des milliers de kilomètres des luttes ouvrières.

Le soir, je demandais des explications à Jean-Luc : en quoi ces jeunes garçons et filles étaient-ils « intéressants » ? Il ne savait pas quoi me répondre et s'en tirait en invoquant ma « mauvaise volonté », voire mon « hostilité ». Il n'avait plus envie d'aller au cinéma, ni de retrouver les Jeanson comme nous en avions eu le projet un mois auparavant. Michel et Nella Cournot nous invitèrent un dimanche dans leur maison de Sceaux, il refusa sans la moindre raison. De mon côté, je ne voulais pas le suivre aux réunions où il se rendait, faire plus ample connaissance avec Charles. Seul Jean-Jock, toujours dans son sillage, trouvait grâce à mes yeux. Il restait joyeux, enfantin, même quand il pérorait.

Je tournai une dernière fois dans *La Bande à Bonnot*. Le film avait pris du retard à cause de la grève et Jacques Brel devait impérativement quitter le tournage. L'atmosphère était donc tendue et il me sembla que Philippe Fourastié, pressé de libérer Brel, tourna un peu vite la séquence qui nous réunissait, lui, moi et Annie Girardot.

J'en parlai le soir même avec Armand qui défendit notre metteur en scène : « Que peut-il faire d'autre ? » Quand Jean-Luc me prévenait qu'il risquait de rentrer tard, je dînais parfois avec lui et son amie Pat'. Elle et moi évoquions avec nostalgie nos courses en patins à roulettes qui nous semblaient déjà appartenir à un lointain passé.

Je parlais aussi avec Rosier car j'étais inquiète de ce qui nous opposait souvent Jean-Luc et moi. Elle me rassurait :

selon elle, tous les hommes traversaient une sévère remise en question aux approches de la quarantaine. Elle était sûre qu'il m'aimait même si la politique, pour l'instant, l'emportait sur le sentiment amoureux. Par contre, elle me trouvait trop dépendante. Quand elle apprit que je n'avais pas de compte en banque ni de carnet de chèques et que Jean-Luc me donnait quand je le souhaitais de l'« argent de poche », elle fut horrifiée. « Mais tu travailles, tu gagnes ta vie ! C'est lui qui touche tes chèques ? — Heu, je crois. » Elle me persuada de remédier à cette situation, je promis et n'en fis rien : au fond, cela me convenait.

Pierre passa son oral du bac brillamment. Jean-Luc et moi attendîmes avec lui la proclamation des résultats. Tandis que nous le félicitions, il tint à préciser : « Je suis arrivé avec les appréciations excellentes de mes professeurs du lycée Jeanson-de-Sailly. Je ne les méritais pas toutes mais, coup de bol, ils sont de gauche, tendance PSU. Comme j'étais à peu près le seul gauchiste de la classe... »

Une université de Rome invita Jean-Luc pour un débat autour du thème « Cinéma et engagement politique ». Il serait entouré de quelques éminents professeurs et de jeunes cinéastes italiens, dont Bernardo Bertolucci et son scénariste Gianni Amico. Ce débat serait ouvert aux étudiants qui depuis le mois de mars commençaient, eux aussi, à s'agiter beaucoup. Jean-Luc accepta et ils fixèrent la date de cette rencontre mi-juillet. Cela me fit oublier le raz de marée gaulliste annoncé aux législatives du 30 juin.

Quelle joie de revoir Rome !

Une autre joie m'attendait à la fin du mois de juin quand un matin le téléphone sonna. Je buvais mon Nescafé au lit et Jean-Luc de son bureau décrocha. Presque aussitôt, il cria :

— Pour toi, Bernardo !

Je saisis le deuxième poste et écoutai Bernardo Bertolucci m'annoncer son prochain projet de film, étonnée d'abord, puis stupéfaite. Il s'agissait d'adapter le roman de Moravia *Il Conformista* avec Jean-Louis Trintignant dans le rôle-titre, Stefania Sandrelli dans celui de son épouse et moi dans celui de la femme du professeur que le conformiste devenu fasciste devait assassiner. C'était trop beau pour être vrai et je n'arrivais pas à y croire. D'autant qu'un an auparavant, Bernardo m'avait déjà demandée pour son film *Partner* et que j'avais été fermement refusée par le producteur. Je le lui rappelai et il se défendit : la présence de deux acteurs Français, Pierre Clémenti et Tina Aumont, interdisait une troisième Française. « Tu seras dans le prochain », m'avait-il promis.

Bernardo s'enthousiasmait de plus en plus au fur et à mesure qu'il me racontait « *il nostro film* ». Le tournage aurait lieu à Paris et en Italie, respecterait l'époque et l'histoire. La grande costumière Gitt Magrini, que je connaissais et aimais beaucoup, s'occuperait des costumes et Gianni Amico travaillerait avec lui sur l'adaptation du roman de Moravia.

— Tu verras, me dit-il. Ce film fera de moi un cinéaste reconnu par le monde entier et de toi, une star !

Depuis un petit moment, Jean-Luc assistait à notre conversation, assis sur la dernière marche de l'escalier. S'il ne pouvait entendre ce que disait Bernardo, il écoutait mes réponses et suivait sur mon visage l'émoi et le bonheur qui m'envahissaient. Je lui avais fait signe de prendre l'écouteur mais il avait refusé.

— Ce qui serait bien, ce serait que tu viennes avant la rencontre à l'université pour que Gianni te connaisse mieux et que nous parlions tous les trois du livre de Moravia et de notre projet d'adaptation. Le livre est traduit en français chez Flammarion, *penso*, lis-le vite et appelle-moi ensuite, conclut Bernardo.

J'adorais la musicalité de sa voix, son français parfait malgré un léger accent du Nord et l'intrusion, parfois, de quelques mots italiens. Du coup, je me taisais pour mieux l'écouter.

— Tu me passes Jean-Luc ?

Je tendis le combiné à Jean-Luc et je pris naturellement l'écouteur.

— Ouais, dit Jean-Luc.

À Rome, Bernardo semblait s'amuser.

— C'est votre révolution vite commencée, vite finie qui te met dans cette humeur ? Mais c'est tellement français, tout ça ! Vous êtes si frivoles, vous, les Français !

— Je suis suisse et je t'emmerde, connard !

Jean-Luc raccrocha violemment et se tourna furieux vers moi.

— C'est quoi, ce projet de film en commun ?

Je le regardai sans comprendre.

— Vous parliez, il te proposait quelque chose qui te rendait béate. C'est quoi ?

Il me fixait avec une telle hostilité que je devenais incapable de lui répondre. Lui s'enrageait :

— C'est quoi ? répéta-t-il.

— Tu es fou, dis-je, en me barricadant sous les oreillers pour ne plus le voir ni l'entendre.

J'attendis qu'il quitte l'appartement pour sortir du lit. Ils s'aimaient. Un an auparavant, il était ravi que je tourne dans un de ses films, notre amitié le réjouissait... Je ne savais même pas qui appeler pour confier ma détresse. Rosier ? Cournot ? Mais comment leur raconter ce qui venait de se passer ?

Je traînai longtemps dans ma baignoire en agitant les pensées les plus sombres. Tandis que je m'habillais, j'entendis la porte d'entrée s'ouvrir, se refermer, des pas dans l'escalier intérieur. Puis, je vis en haut des marches s'agiter un bouquet de roses auquel on avait attaché un mouchoir blanc.

— Pardon, fit une toute petite voix invisible.

Pour me prouver son désir de réconciliation, Jean-Luc m'invita à déjeuner dans un de mes endroits préférés, le Tea Caddy, à quelques mètres de chez nous, en face de la très belle et très ancienne église Saint-Julien-le-Pauvre. Jusqu'à récemment lui aussi appréciait ce salon de thé au charme désuet, très tranquille, que m'avait fait connaître Robert Bresson. Depuis le début du mois de mai, il avait refusé d'y mettre les pieds.

Comme souvent, sa violence avait fait place à son contraire. Après s'être beaucoup excusé, il me redemanda mais avec calme et attention en quoi consistait la proposition de Bernardo. Je lui racontai.

— Bref, Bernardo est persuadé que son film fera de lui « un metteur en scène reconnu dans le monde entier » et de moi « une star ».

Cette dernière phrase me semblait particulièrement cocasse, je ne prenais pas au sérieux les ambitions de notre ami qui n'avait tourné jusque-là que trois modestes films d'auteur. Une expression chagrine envahit le visage de Jean-Luc.

— C'est tout ? demanda-t-il.

Il marqua une pause, cherchant les mots justes, ceux qui ne trahiraient pas sa pensée. Enfin :

— C'est lamentable. Comment peut-il, encore aujourd'hui, courir après ce vieux cinéma romanesque ? Pourquoi se coupe-t-il du monde en marche ? Choisir la voie la plus réactionnaire et en plus t'entraîner avec lui ?

— Il en rajoutait par humour, c'était aussi de l'autodérision...

— Je suis sûr que non.

L'expression chagrine de Jean-Luc s'accentua, ses yeux s'emplirent de larmes. Il n'allait pas se mettre à pleurer tout de même... Je me forçai à rire.

— Mais je me fiche de devenir une star, je n'en serai jamais une ! Ce n'est pas ça qui m'intéresse, tu le sais !

— Non, justement, je ne sais pas. Qu'est-ce qui t'intéresse ?

— Faire des films. Celui de Bernardo, le tien, à Londres. On tourne la suite des Rolling Stones en août, non ?

Jean-Luc me caressa la joue avec cette sorte de tendre

indulgence qu'il avait aux débuts de notre rencontre. Le charme du Tea Caddy semblait le gagner. Nous étions les seuls clients, dans un décor typiquement anglais, avec des boiseries sombres et des petits carreaux de couleur aux fenêtres qui atténuaient la lumière du jour. La même jeune femme, blonde, silencieuse, comme une héroïne de la littérature du XIXe, attendait qu'on lui fasse signe en lisant un livre près du chariot des desserts. Paris se vidait de ses habitants, les vacances d'été venaient de commencer.

— Tu auras ton billet pour Rome, ce soir, dit Jean-Luc.

Bernardo m'attendait à l'aéroport de Rome, à la sortie des vols internationaux. Quand il m'aperçut, il fit semblant de jouer du violon et entonna *La Chanson de Lara* du film *Le Docteur Jivago* que nous aimions tous les deux beaucoup. Moi, je lui répliquai par cette formule de conte de fées que connaissaient tous les petits Italiens : *Ucci, ucci, sento odore di Bertolucci.* Cette phrase terrorisait les enfants car le Bertolucci en question était un ogre. Leurs parents s'en servaient quand ils n'arrivaient pas à se faire obéir. Évoquer Lara plus l'ogre était devenu entre nous un rite.

Le ciel était bas et lourd et il faisait très chaud. « Les orages rôdent mais ce n'est pas sûr qu'ils éclatent. Tu veux passer déposer ton sac à l'hôtel et que nous retrouvions Paola dans un petit resto du Trastevere ? »

Jean-Luc, qui nous rejoignait le lendemain en fin d'après-midi, avait réservé pour deux nuits à l'hôtel d'Inghilterra où j'avais habité durant le tournage de *Théorème.* Paola était la compagne et non l'épouse de Bernardo car elle avait été mariée et le divorce était interdit en Italie. Antiquaire, elle tenait un ravissant magasin près de la piazza di Spagna.

Elle nous attendait comme prévu à une terrasse, Campo dei Fiori, et nous parlâmes aussitôt de notre futur film dont elle assurerait une partie de la décoration. J'avais eu le temps de lire et relire le roman de Moravia et l'idée de travailler tous ensemble sur cette histoire nous passionnait.

— Mais ne nous faisons pas trop d'illusions. Bernardo fait d'abord ce film pour tourner avec Trintignant.

Paola, aussi, parlait un excellent français.

— C'est vrai, admit Bernardo. Je suis amoureux de Trintignant et si j'étais une femme j'en serais dingue. À l'origine d'un film, il y a souvent le désir amoureux de filmer une femme ou un homme, tu en sais quelque chose, toi, avec Jean-Luc.

Il changea de ton.

— J'espère qu'il ne recommencera pas à me traiter de connard, cela m'a fait de la peine, vraiment. Parle-moi de lui.

Je m'appliquai à le faire avec le plus de vérité possible, évoquai les influences de Jean-Jock, Charles et de groupes maoïstes que je ne connaissais pas ; son désir de changer le cinéma et même, parfois, de l'abandonner.

Cela surtout effraya Bernardo.

— Jean-Luc est un génie, qu'il cesse de faire des films serait criminel.

Mais pour revenir à plus de légèreté, car la gravité n'était pas ce qui le caractérisait, devant ses amis du moins, il ajouta :

— Ou alors, je prends sa place. Tu verras, Anne, *Il Conformista* va changer nos vies !

La journée s'écoula délicieusement. Je n'étais jamais allée à la Villa Médicis que Bernardo et Paola tinrent à me faire visiter. Ils y rencontrèrent quelques amis qui avaient vu mes trois films et me considéraient avec une affectueuse bienveillance. Certains seraient présents au débat de l'université.

De retour dans les rues de Rome, un violent orage éclata, suivi d'une courte averse. Réfugiés dans le célèbre Caffè Greco, nous attendîmes que la pluie cesse en dégustant des Campari. Paola m'expliquait l'origine de telle ou telle fresque tandis qu'une fois de plus des amis venaient se mêler à nos conversations. Rome était un village !

Gianni Amico nous rejoignit pour dîner, Campo dei Fiori. Bernardo me le présenta comme « le plus brésilien des Italiens ». Lorsqu'il donnait des fêtes, tous les grands musiciens brésiliens de passage à Rome étaient présents et faisaient de la musique jusque tard dans la nuit.

Deux hommes, des musiciens de rue, entonnaient pour les clients des restaurants des chants napolitains. L'un jouait du violon, l'autre de l'harmonica. Je les avais déjà vus et je savais ce qui allait se passer. À un signe discret de Bernardo, ils s'approchèrent tout près de nous et à voix basse chantèrent :

Stamattina mi sono alzato
O bella ciao, bella ciao, bella, ciao, ciao, ciao
Stamattina mi sono alzato
E ho trovato l'invasor
O partigiano portami via,
O bella ciao, bella ciao, bella ciao, ciao, ciao
O partigiano portami via,
Ché mi sento di morir

C'était une chanson populaire, devenue durant la dernière guerre un des hymnes de la résistance antifasciste. Elle était jugée trop politique et donc indésirable aux terrasses des cafés et des restaurants fréquentés par les touristes. Les deux musiciens appartenaient au parti communiste, dont Bernardo était un proche sympathisant, j'adorais les entendre, leur façon clandestine et poétique de chanter pour lui et ses amis. Même Jean-Luc était touché et taquinait gentiment Bernardo sur ses liens avec le PCI. C'était il y avait un an, qu'en serait-il demain ? Mais une douce pluie d'été rafraîchissait la nuit, nous étions abrités sous un grand parasol, en train de manger et de boire un vin de Toscane, pourquoi s'en faire ?

Bernardo m'avait donné rendez-vous pour l'apéritif, à midi, piazza del Popolo, au café Rosati, où se retrouvaient beaucoup d'intellectuels et d'artistes. Il m'attendait en compagnie d'un homme aux cheveux blancs, que j'avais déjà vu avec Pier Paolo Pasolini et que je reconnus. C'était l'écrivain Alberto Moravia, je ne m'attendais pas à cette rencontre et je fus si impressionnée que je ne pus que serrer la main qu'il me tendit. À moitié en français, à moitié en italien, il nous parla de son livre et du choix des acteurs, qu'il approuvait. Comme la veille, des amis s'arrêtaient pour dire quelques mots ou bien s'asseyaient et prenaient la conversation en route. L'un d'entre eux, un producteur d'une trentaine d'années, m'apprit que Pasolini adaptait une de ses pièces pour le cinéma : il ne voyait personne d'autre que moi pour interpréter la jeune fille, mais il était persuadé que je refuserais car je ne l'aimais pas. C'était d'autant plus étrange que je pensais la même chose que lui. Je tentais d'expliquer qu'il devait s'agir d'un absurde malentendu quand nous fûmes interrompus par l'arrivée d'un bel homme qui, faute de siège vacant, s'assit à califourchon sur une jardinière de fleurs. Il agissait avec une nonchalance charmante, serra quelques mains et embrassa Moravia. Puis, il enleva sa veste, desserra sa cravate en se plaignant de la chaleur et des grondements de quelques orages lointains. Il s'exprimait avec humour sans paraître remarquer le silence qui s'était fait autour de notre groupe, de tous les regards braqués sur lui. Des passants s'arrêtaient pour le regarder et brusquement des bouts de papier et des crayons se tendirent de partout. « Marcello ! Marcello ! Marcello ! » supplièrent des voix enamourées. J'étais assise tout près de Marcello Mastroianni et je ne l'avais pas reconnu !

Il s'était remis à pleuvoir tandis que j'attendais Jean-Luc à l'aéroport de Fiumicino, de l'autre côté de la douane. Deux étudiants m'accompagnaient, émus d'être chargés de conduire *il Maestro* et sa femme à l'université. La rencontre avait lieu à huit heures trente et l'amphi était déjà presque plein, me dirent-ils.

Jean-Luc débarqua de mauvaise humeur mais content de me voir. Une séparation, même courte, avait toujours le pouvoir de ranimer ses sentiments amoureux et je m'en réjouissais. Quitter Paris, retrouver Bernardo et ses amis, ce monde artistique qui continuait de m'émerveiller comme au temps de ma rencontre avec Robert Bresson, m'avait fait du bien. J'étais consciente d'être une privilégiée et de ce fait beaucoup plus confiante, avec l'envie de bien me comporter, d'être la femme qu'il attendait que je sois.

L'amphi était si bondé que même les marches étaient

prises. Certains se tenaient debout, au fond. Une ovation mêlée de cris divers, dont nous ne savions pas s'ils étaient hostiles, saluèrent l'arrivée de Jean-Luc. Sur l'estrade, Bernardo, Gianni Amico et les autres orateurs se levèrent et l'applaudirent. Jean-Luc les rejoignit visiblement embarrassé par cet accueil tandis que je m'asseyais à côté de Paola, à la place qui m'était destinée, au premier rang. Vivant auprès de lui, j'oubliais à quel point sa présence pouvait soulever de passions. Lui aussi, d'ailleurs, et pendant quelques minutes il ressembla à un animal pris au piège. Bernardo l'étreignit chaleureusement, comme seuls savent le faire les Italiens, et le débat sur le thème « Cinéma et engagement politique » commença.

Au début, Jean-Luc se contenta d'écouter en silence les professeurs, visiblement de tendance communiste. Bernardo traduisait à voix basse. Quand on lui tendit le micro, avec une apparente suavité, il dénonça aussitôt leur conception révisionniste du cinéma et se déclara complètement étranger à tout ce qui venait d'être dit. Les professeurs protestèrent et, toujours aussi suave, Jean-Luc leur répondit qu'il était plus qu'étranger, il était hostile, voire ennemi.

Dans la salle, le débat en cours gagnait les étudiants. Certains applaudissaient les propos de Jean-Luc, d'autres les huaient. Des questions fusaient de partout et Bernardo avait du mal à traduire. Une phrase martelée par Jean-Luc revenait sans cesse : « Je vomis votre conception romantique du cinéma et de l'œuvre d'art en général. » Cette prise de position radicale fit monter la tension d'un cran et divisa les étudiants en deux camps : ceux qui lui donnaient raison et ceux qui protestaient en évoquant les chefs-d'œuvre qu'étaient *Le Mépris* et *Pierrot le fou*. « Je les renie comme je renie tous mes autres films. » Bernardo, choqué, protesta : « Tu ne peux pas dire ça, ces films éclairent nos routes. » C'était presque mot pour mot ce qu'avait dit Philippe Garrel lors de la projection de *Marie pour mémoire.*

J'étais au bord des larmes en l'entendant, Paola consternée. Cette soirée tournait au cauchemar et semblait ne jamais vouloir s'achever. Une confusion générale avait gagné l'ensemble des étudiants et des professeurs. Les propos de Jean-Luc étaient devenus de plus en plus obscurs et agressifs, sans aucun rapport avec les habituels coq-à-l'âne et paradoxes qui m'enchantaient il y avait de cela à peine un an. Bernardo avait renoncé à les traduire et un professeur maladroit avait pris le relais.

Soudain, Jean-Luc se leva et déclara sur un autre ton, calme, comme apaisé : « J'ai tout dit et je ne dirai plus rien. Continuons la lutte, camarades ! » Puis, insensible aux protestations des étudiants, comme aux tentatives de le retenir que firent Bernardo et les autres, il quitta l'estrade. Je n'avais pas d'autre choix que de le suivre.

Dehors, la pluie s'était transformée en déluge. Nous nous abritâmes sous un porche. « J'espère qu'ils ont prévu un restaurant, je meurs de faim, dit Jean-Luc. Pas toi ? » Non, après cette éprouvante soirée, je n'avais plus envie de rien.

Bernardo, Paola, Gianni et la jeune femme qui l'accompagnait sortirent à leur tour et confirmèrent que oui, on nous avait réservé une table dans un bon restaurant, proche de l'université. « Mais ne comptez pas sur la présence des deux professeurs d'art qui devaient se joindre à nous, ils ne viendront pas. — Bon débarras », répondit Jean-Luc avec insouciance.

Le choix du menu nous occupa un moment. Un silence lourd de sous-entendus s'installa qui n'était pas dans nos habitudes. Finalement, ce fut Bernardo qui le rompit.

— Tu n'aurais pas dû te comporter comme ça, dit-il à Jean-Luc. Personne ne méritait un tel mépris.

— Et toi, tu devrais te rendre compte que je ne me suis jamais adressé à toi directement et m'en être reconnaissant. Je l'ai fait à cause de Paola et d'Anne. Mais maintenant je te le dis : comme moi jadis, tu as fait un cinéma de merde et tu vas continuer en toute bonne foi un cinéma de merde. Tu trahis les idéaux de ta jeunesse, tu choisis le camp des oppresseurs, tu deviens un ennemi de classe, mon ennemi de classe !

Je tentai d'arrêter Jean-Luc mais ce fut Bernardo, très pâle, qui y parvint en donnant un violent coup de poing sur la table.

— J'en ai marre de tes leçons de morale, tu ne te rends même plus compte des conneries que tu débites !

— Eh bien nous n'avons plus rien à faire ensemble.

Jean-Luc se leva, attrapa son imperméable qui séchait sur la patère, revint en arrière et embrassa Paola sur le front.

— Adieu, Paola, dit-il avec solennité.

Puis, à mon intention :

— Tu viens ?

— Non.

Il se retourna et me regarda, stupéfait.

— Non, répétai-je avec plus de fermeté encore.

Il attendit quelques secondes, incrédule, tandis que je le fixai sans ciller, sans faiblir. Enfin, il sortit. Le temps que la porte s'ouvre et se referme, une bourrasque de vent et de pluie pénétra dans le restaurant.

Ce qui venait d'avoir lieu était la reproduction d'un événement récent qui m'avait fait une peine immense et dont je ne m'étais pas remise même si j'évitais d'y penser.

De façon absurde, seul ou mal conseillé par ses mystérieux camarades, Jean-Luc avait décidé qu'il fallait boycotter le festival d'Avignon comme on avait boycotté le festival de Cannes. J'avais protesté avec véhémence : depuis mon adolescence Avignon était sacré. Le festival nous avait invités et merveilleusement accueillis un an auparavant pour présenter *La Chinoise* dans la cour d'honneur. Rencontrer Jean Vilar et Maurice Béjart m'avait procuré une immense émotion et quand je les évoquais, c'était avec respect et amour. D'entendre certains scander « Vilar, Béjart, Salazar ! » m'avait outrée. Associer leur nom à celui du dictateur portugais ! J'avais prévenu Jean-Luc que s'il persistait dans ce détestable projet, ce serait sans moi. Il avait alors téléphoné à François Truffaut qui lui avait dit la même chose.

Mais il en fallait plus pour que Jean-Luc change d'avis.

Sans rendez-vous, sans se faire annoncer, il entra dans le bureau de François Truffaut, aux Films du Carrosse. Je l'accompagnais dans l'espoir que cet autre homme que j'admirais, qui était son ami, saurait trouver les mots pour le convaincre. Il n'en fut rien. Les propos qu'ils échangèrent furent d'une extrême violence de part et d'autre et marquèrent la fin d'une importante amitié de jeunesse. Au dernier moment, tandis que Jean-Luc, des injures plein la bouche, quittait le bureau, François s'était approché de moi : « Adieu, Anne, je crois comprendre ce que vous éprouvez et j'ai de la peine pour vous. »

Le brouhaha joyeux du restaurant me ramena au moment présent. Gianni Amico, plein de sollicitude, m'encourageait à terminer les pâtes qui refroidissaient dans mon assiette, les deux jeunes femmes s'efforçaient d'évoquer leurs vacances d'été et Bernardo, le visage fermé, se versait un autre verre de vin blanc. « Quel désastre, quel gâchis », pensai-je.

Mais soudain, la porte du restaurant s'ouvrit, poussée par un fantôme, un noyé, c'était difficile à dire.

— Bande de cons, ça fait un quart d'heure que j'attends au coin de la rue que l'un d'entre vous se décide à venir me chercher !

Jean-Luc dégoulinant se planta devant notre table, inondant tout sur son passage. Il se pencha vers Bernardo.

— J'ai fait cette sortie pour que tu coures derrière moi et toi, faux frère, tu ne bouges pas !

C'était tout à coup si affectueux, si touchant, si drôle aussi, que nous éclatâmes de rire. Bernardo aida Jean-Luc à enlever les loques qui lui tenaient lieu d'imperméable et de veste et lui fit enfiler de force son ravissant pull-over en lin blanc. Jean-Luc eut un sourire satisfait, retrouva sa place en face de Paola et mêla son rire au nôtre. Bientôt notre rire gagna les tables les plus proches et très vite celles de tout le restaurant. Jean-Luc demeurait cet être totalement imprévisible.

Je n'arrivais pas à croire Jean-Luc quand il affirmait avoir définitivement tourné le dos au cinéma. Je le croyais juste désireux de faire des expériences, porté par l'air du temps, de s'engager sur un autre chemin, avec d'autres personnes que celles avec qui il avait toujours travaillé.

Ce qui s'était passé à l'université de Rome le confirma dans son projet de filmer fin juillet, à Flins, une discussion entre des étudiants et des ouvriers. Il souhaita ma présence, ce que je refusai aussitôt. « Je suis incapable de participer à une discussion de ce type, incapable même de comprendre de quoi ils parleront. » Il insista : « Justement tu n'auras rien à dire, tu écouteras, tu seras une jeune bourgeoise décidée à se faire une éducation politique, à changer sa vision du monde... Une sorte de Candide... » Je tins bon et, de peur d'être piégée, je refusai même de venir sur le tournage prendre des photos. Le jour dit, j'allai seule au cinéma revoir un film qu'il m'avait fait connaître et que nous adorions, *Le Fleuve* de Jean Renoir. Le soir, nous retrouvâmes Rosier et Bambam au Balzar. Ils s'apprêtaient à passer quelques jours de vacances en Bretagne et nous proposèrent de nous joindre à eux. J'acceptai avec joie, Jean-Luc ne dit ni oui, ni non.

Le lendemain, en fin de journée, il y eut la projection de ce qu'il avait tourné la veille. Dans la salle se trouvaient les deux jeunes gens que j'allais voir sur l'écran, Jean-Jock, Charles avec des amis que je ne connaissais pas, Bambam et Willy Lubtchansky qui avait fait l'image.

C'était un beau noir et blanc, en 16 mm. Sur ce qui semblait être un terrain vague entouré par les HLM de Flins-sur-Seine, une discussion politique avait lieu entre une étudiante, un étudiant et trois ouvriers de l'usine Renault de Flins.

Je n'aurais pas su dire combien de temps cette projection de rushes dura tant je m'y ennuyais. Je reconnaissais les mots d'ordre de mai, des bribes de discours entendus ici et là, et je ne comprenais pas la nécessité d'avoir fait ce film qui s'appelait *Un film comme les autres.* Un seul moment m'émut quand la caméra s'attarda sur le visage de la jeune fille blonde qui avait cessé de parler et qui écoutait silencieuse, en fumant une cigarette. Jean-Luc l'avait filmée de profil, on distinguait presque le grain de sa peau. Pendant quelques secondes il l'avait regardée comme il m'avait regardée moi, lors du tournage de *La Chinoise.* Je n'éprouvai aucune jalousie, bien au contraire, ce plan me rassura : il relativisait ses discours théoriques concernant ses anciens films et les commentaires encore plus théoriques que ne manquèrent pas de faire Charles et ses amis. Jean-Jock était content, Bambam aussi, il n'y avait que moi qui ne disais rien. Le soir, en nous couchant, Jean-Luc m'avoua que mon silence lui avait fait de la peine. Je lui répondis que je l'aimais et lui, avec tristesse : « Nous ne parlons pas de la même chose. »

Jean-Luc me laissa partir avec quelques réticences en Bretagne. Mais la présence de Bambam le rassurait. Une amitié qui ne passait pas par les mots s'affirmait entre eux alors qu'il s'était fâché avec François Truffaut et qu'il semblait s'éloigner de Cournot et de Bernardo. « Tu veilleras sur elle », lui répétait-il sur le quai de la gare. Comme au premier jour, il craignait de façon confuse qu'un inconnu plus séduisant que lui ne m'enlève. Nous nous téléphonions matin et soir.

Vint la reprise du tournage, à Londres. Le film s'appelait désormais *One + One* et Jean-Luc l'envisageait comme une corvée. Quand je lui demandai, dans l'avion, de quoi ça parlerait, il me répondit par cette phrase que je lui avais déjà entendu dire : « La démocratie, c'est mourir lentement », et il ajouta : « Tu vas représenter une allégorie, Ève Démocratie. » Je n'étais guère avancée mais sans inquiétude : durant *La Chinoise*, il m'arrivait de réciter des phrases que je ne comprenais pas et Juliet Berto m'avait avoué qu'elle aussi. Elle allait me manquer...

Nous avions une chambre à l'hôtel Hilton où l'attendaient Iain Quarrier, le producteur qui était aussi acteur et qui devait jouer dans le film, ainsi que des membres de l'équipe anglaise. N'ayant reçu qu'une liste succincte de quelques séquences, ils désiraient des précisions sur le plan de travail. Le tournage débutait dans trois jours, ils ne cachaient pas leur inquiétude.

Plus tard, en me retrouvant dans la salle à manger, Jean-Luc m'annonça qu'on commencerait par moi et m'en dit un peu plus.

Je serais Ève Démocratie, une jeune femme harcelée par une équipe de télévision qui veut à tout prix l'interviewer.

Le plan durerait une dizaine de minutes, il serait tourné en plan-séquence, comme le seraient ensuite les autres.

— Puisque tu ne parles pas anglais, tu te contenteras de répondre par « *yes* » ou « *no* » aux questions des journalistes.

— Comment savoir quand je réponds « *yes* » ou « *no* » si je ne comprends pas le sens des questions ?

— Je n'avais pas pensé à ça.

Jean-Luc était perplexe. Pas longtemps.

À l'époque, je portais presque tous les jours des chapeaux d'homme qui dissimulaient souvent mes longs cheveux roux. Surprendre les autres quand je l'enlevais et dévoilais ma chevelure m'amusait beaucoup. Jean-Luc se saisit de celui que j'avais, très joli, en feutre gris, il l'agita au-dessus de la table.

— On conviendra d'un code. Si je brandis le chapeau, cela signifiera oui, si je ne le bouge pas, non. Ou l'inverse.

C'était astucieux et cela fonctionna à merveille.

Nous tournions dans une clairière très verte, avec plein d'arbres, une prairie que personne n'avait fauchée, beaucoup d'oiseaux. C'était un paysage de campagne typiquement anglais et pourtant nous étions à Londres. La séquence durait dix minutes, elle était techniquement difficile à mettre en place, elle nécessitait beaucoup de répétitions. Une fausse équipe de télévision me suivait dans mes déambulations, des journalistes me bombardaient de questions que je ne comprenais pas, et derrière la caméra qui me précédait je voyais Jean-Luc sauter comme un diable en agitant mon chapeau ou pas. Je répondais « *yes* » ou « *no* », en prenant mon temps, ce qui donna l'impression que je réfléchissais. Quand nous vîmes les rushes, Jean-Luc me complimenta : « Tu t'en tires drôlement bien ! » J'étais de son avis : personne jamais ne soupçonna notre ruse !

Les autres séquences du film furent tournées sur le même principe : des plans-séquences de dix minutes qui exigeaient beaucoup de précision, donc de temps. C'était très bavard, les personnages déclamaient des discours politiques dont je comprenais mal le sens même si Jean-Luc, à ma demande, m'en faisait le résumé. Il s'agissait beaucoup du combat des Black Panthers, de la violence sauvage nécessaire lors du passage à l'action. À la fin, ils exécutaient Ève Démocratie, Jean-Luc lui-même entrait dans le champ, avec mon chapeau qui ne le quittait plus, et m'aspergeait d'hémoglobine. On me déposait ensanglantée sur le plateau d'une grue de cinéma qui s'élevait vers le ciel. Deux drapeaux rouges m'entouraient et claquaient dans le vent : dernière image du film.

Si j'étais parfois saisie par la beauté de certaines séquences et l'autorité avec laquelle Jean-Luc dirigeait son équipe, je m'ennuyais aussi un peu. Je n'osais pas me l'avouer vraiment, Jean-Luc était trop accaparé par le tournage pour s'en rendre compte. Le soir, nous dînions invariablement au restaurant de l'hôtel Hilton car toutes mes tentatives pour l'amener à découvrir d'autres endroits avaient échoué. Il se taisait perdu dans je ne savais quelles pensées et, si je le questionnais, il me répondait que le tournage de ce film lui prouvait qu'il n'avait plus sa place au sein d'une équipe traditionnelle. Il évoquait encore et encore son désir de se mettre au service d'une cause, d'un groupe. Jean-Jock et Charles, chacun de leur côté, l'approuvaient. L'idée de quitter Paris pour vivre en province, dans une ville étudiante comme Grenoble, le tentait aussi. « Tout cela est encore confus et bordélique mais ça va finir par se mettre en place et j'arriverai à quelque chose de plus cohérent. N'aie pas peur. »

Il n'était plus question d'aller au cinéma ou au théâtre, nous restions dans notre chambre, devant la télévision. Le réveil qui sonnait très tôt le matin n'excusait pas tout, je ne savais que penser de cette vie que je trouvais terne, loin de celle que nous menions jusqu'à il y a peu. L'impression que Jean-Luc m'aimait moins me taraudait. Mais il suffisait qu'il se réveille la nuit pour me prendre dans ses bras et me murmure des mots d'amour pour que mes craintes disparaissent. Toutefois, une question demeurait : « C'est ça la vie à deux, la vie de couple ? » Je ne me voyais pas travailler au sein d'un groupe politique et encore moins vivre loin de Paris. Comment concilier tout ça ? La pensée que j'allais tourner dans le film de Bernardo me réconfortait.

De retour à Paris, Bernardo me téléphona régulièrement pour me tenir au courant de l'écriture. Parfois, il me demandait de dire une réplique de mon personnage afin de la tester. Je me prêtais volontiers à ce jeu sous l'œil goguenard de Jean-Luc. Sans nous en être parlé, il y avait comme un accord tacite entre nous : il n'attaquait plus Bernardo, je ne m'irritais plus de la fréquence avec laquelle il citait Charles et ses amis politiques que je n'avais toujours pas envie de rencontrer. Il s'intéressait plus que jamais à ce qui se passait dans le monde, il parlait de tourner en Tchécoslovaquie ; s'enflammait pour la cause palestinienne.

Moi, j'avais eu la merveilleuse surprise d'un appel du jeune producteur italien rencontré au café Rosati. Il m'avait proposé de tourner dans le prochain film de Pasolini et me l'avait passé au téléphone. Aussi émus l'un que l'autre, nous nous étions avoué notre envie de retravailler ensemble et aussitôt tutoyés. Il voulait faire un film construit en deux parties. La mienne se tournerait vraisemblablement début 1969, à Padoue, avec, entre autres, Jean-Pierre Léaud. C'était à l'origine une pièce qu'il avait écrite pour le théâtre. « Il y a donc beaucoup de texte, je te la fais traduire et envoyer et tu me dis ensuite si tu veux bien du rôle d'Ida. » Je lui avais dit oui tout de suite, comme je l'avais fait pour *Théorème.* Jean-Luc avait mal pris ce projet. Pour lui, Pasolini était devenu un traître depuis qu'il avait pris le parti des policiers italiens « fils du prolétariat » contre les étudiants « fils nantis de la bourgeoisie ». Mais en même temps, il continuait à l'admirer. « Il y a en lui quelque chose d'irréductible... C'est l'homme le plus courageux que je connaisse », avait-il dit. Puis, comme pour atténuer cette sincérité, il avait ajouté en prenant l'accent suisse : « Et lui au moins, grand militant homosexuel, ne risque pas de te piquer à moi ! »

À l'automne, il accepta un film où « il ne serait pas seul ». La proposition venait du tandem Richard Leacock et D. A. Pennebaker, dont nous avions aimé les reportages sur Joan Baez et Bob Dylan. Chacun d'eux tiendrait tour à tour la caméra et Jean-Luc improviserait ce qu'il souhaiterait filmer. Il y aurait peut-être un ou deux étudiants pour le son, mais pas plus. Une équipe réduite à presque rien, deux cinéastes qu'il estimait, New York qu'il connaissait à peine, Jean-Luc accepta et deux jours plus tard nous quittions Paris. Cette fois-là, j'avais emporté mon Pentax.

Pennebaker et Leacock travaillaient avec des jeunes gens passionnés de cinéma et très politisés. Tous engagés contre la guerre au Vietnam, ils défendaient la cause des minorités, participaient aux marches de protestation et fréquentaient les campus et les étudiants les plus contestataires. L'arrivée de Jean-Luc redoubla leur ardeur et lui se sentit tout de suite en terrain de connaissance.

Ils m'avaient accueillie avec simplicité : j'étais à la fois la femme de Jean-Luc et l'interprète dont ils avaient aimé les trois premiers films. Ils baragouinaient le français, moi l'anglais, on se débrouillait.

Penny, comme on l'appelait, était blond, jeune et beau, habitué à plaire. Mais c'était Leacock mon préféré. De nationalité anglaise, il n'avait rien d'un Américain en jean et tee-shirt et tout du gentleman londonien. Grand, très élégant en toutes circonstances, d'une humeur égale, il donnait le sentiment d'être l'élément stable du tandem. C'était aussi le plus âgé et, me semblait-il, le plus attentif et le plus respectueux des autres.

Jean-Luc, chaque jour, improvisait. Comme prévu, Penny et Leacock se succédaient à la caméra qu'ils portaient à l'épaule en suivant ses indications. Un jeune homme ou une jeune fille s'occupait du son. Moi, je prenais pour mon plaisir des photos, surprise par ces quartiers de New York que je ne soupçonnais pas.

Harlem m'impressionna tout particulièrement. Nous tournâmes dans les rues, dans une école, et sur les quais avec deux gamines qui tenaient un pick-up dans leurs mains, selon l'inspiration du moment de Jean-Luc. Dans ce monde entièrement noir, nous étions un minuscule groupe de petits Blancs.

Des petits Blancs qu'harangua devant sa maison et avec ses musiciens LeRoi Jones, intellectuel afro-américain dont j'avais vu une pièce à Paris, *Le Métro fantôme.* J'avais beau ne rien comprendre à ce qu'il nous criait, micro en main, son agressivité et sa violence me firent peur. Je continuai, néanmoins, à prendre des photos tout en craignant que la foule noire qui commençait à s'amasser sur les trottoirs ne s'en prenne soudain à nous.

Jean-Luc souhaitait encore filmer un célèbre groupe de musique, les Jefferson Airplane. Comme les jours précédents, aucune autorisation de tournage ne fut demandée à la Ville de New York. Mais nous n'étions plus à Harlem et cela se passa moins bien.

Les Jefferson Airplane accompagnés de leurs fans étaient installés sur le toit-terrasse d'un immeuble et notre équipe sur celui de l'immeuble en face. Le concert improvisé commença, retransmis par de puissants haut-parleurs. Leacock tenait la caméra, je le trouvais particulièrement beau et pris un peu plus de photos de lui que d'habitude. Ce que Jean-Luc ne manqua pas de remarquer. « Il te plaît, hein ? » dit-il sans jalousie, presque amusé.

En face de nous la fête se poursuivait. Les Jefferson Airplane se surpassaient, les fans dansaient, tout le quartier était en émoi et bientôt la police débarqua. Des policiers comme nous en avions vu dans les films américains, des malabars de près de deux mètres, matraque à la main et revolver dans le ceinturon. Leacock continuait de filmer. Bientôt, ils furent chez nous, décidés à embarquer tout le monde. Tandis que nos amis palabraient avec eux, Jean-Luc et moi nous amusions beaucoup : cela nous rappelait certains épisodes de mai 1968. Au fond, connaître les geôles américaines ne nous aurait pas déplu…

Après la promesse d'arrêter le tournage et le concert, plus une forte amende, les flics malabars repartirent en nous laissant tous libres. Les Jefferson Airplane et leur bande disparurent, notre petite équipe se regroupa dans un snack pour avaler des hot dogs.

Jean-Luc, qui avait été presque morose lors des précédentes journées, avait retrouvé un peu de sa bonne humeur et de son humour. Il semblait content que la journée de travail soit terminée et que la police en soit responsable. Quant au montant de l'amende, il ne voulait même pas en entendre parler.

À l'inverse, Penny et Leacock faisaient grise mine. Pour le taquiner, Jean-Luc glissa à Leacock : « Je crois que vous plaisez beaucoup à ma femme. » Et lui, avec une désarmante modestie : « Oh, non ! Elle ne photographie que Penny ! » Malgré leur insistance pour savoir ce que l'on tournerait le lendemain, Jean-Luc répondit qu'il n'en savait rien.

Être à New York sans que Jean-Luc tourne n'était pas amusant. Il ne voulait rien voir, rien visiter. Dès le matin, il se rendait à la seule librairie française de New York, achetait tous les quotidiens français et américains, rentrait à l'hôtel et se plongeait dans leur lecture. Puis, nous allions déjeuner ou dîner quelques blocs plus loin dans un restaurant, toujours le même, français lui aussi. Penny et Leacock nous avaient invités chez eux mais il avait trouvé un prétexte pour refuser. J'étais d'autant plus frustrée par cette monotonie que Bernardo et Gianni m'avaient donné quelques numéros de téléphone d'amis et m'avaient encouragée à les rencontrer. Ils avaient surtout parlé de l'un d'entre eux, le musicien saxophoniste Gato Barbieri, qu'ils admiraient beaucoup. À ces suggestions Jean-Luc avait dit non et je n'avais pas osé les appeler seule.

Quelques jours avant l'épisode des Jefferson Airplane, un producteur que Jean-Luc avait rencontré lors des états généraux du cinéma, Claude Nedjar, vint à New York. Jean-Luc et lui avaient sympathisé autour de l'idée de tourner des films peu chers, proches des ciné-tracts de Chris Marker. Jean-Jock s'y était associé et ils avaient déjà deux projets, l'un en Angleterre, l'autre en Tchécoslovaquie. Cela ne me passionnait pas mais je reconnaissais à Nedjar certaines qualités. Il était dynamique, toujours en mouvement, avec un appétit jamais rassasié d'aventures nouvelles. Il était l'inverse absolu de Jean-Luc. Avec lui, pas question d'aller tous les jours au même restaurant, français en plus. Il voulait profiter de son séjour à New York pour découvrir les lieux, les gens. Grâce à lui, je connus enfin un peu cette ville incroyable que Jean-Luc boudait.

Le troisième soir après son arrivée, il persuada Jean-Luc de le suivre dans une fête où il y aurait sûrement de jeunes cinéastes. S'entretenir avec eux pourrait enrichir leurs projets. Qui donnait cette fête ? Il l'ignorait mais cela n'avait pour lui aucune importance.

Nous arrivâmes tous les trois dans un grand appartement enfumé qu'occupait une trentaine de personnes de tous les âges et de toutes les origines. La porte était ouverte, personne ne vint à notre rencontre mais on nous désigna un buffet avec des boissons et des gâteaux « au haschich », précisa un jeune homme. Des joints circulaient de main en main, un pick-up diffusait très fort de la musique brésilienne. Beaucoup dansaient, en couple ou solitaires, d'autres discutaient dans de confortables divans ou à même le sol.

Nedjar, la main tendue, se présentait aux uns et aux autres au hasard, entamait des conversations. Il se versa un verre de whisky. J'acceptai un verre de vin tandis que Jean-Luc dit qu'il voulait partir. Quand une femme entre deux âges aux longs cheveux gris et vêtue à la mode hippie lui proposa une part de gâteau, il fut outré. « Filons », me dit-il. Je n'avais pas spécialement envie de rester mais encore moins d'obéir. « Ne fais pas le rabat-joie, intervint Nedjar. Rentre te coucher si tu veux, mais n'empêche pas Anne de s'amuser. Je reste une petite heure et je la ramène à l'hôtel, promis. »

« M'amuser » ? Pourquoi pas ?

Je me resservis un verre de vin et allai m'asseoir sur un canapé un peu à l'écart. Observer de si près cette faune new-yorkaise m'intéressait. Il me semblait que je me trouvais dans un milieu artistique et je cherchais à deviner qui faisait quoi. L'appartement était meublé avec goût. Sur les murs, il y avait des toiles abstraites, des dessins et des affiches de cinéma dont celles de *La Dolce Vita* et d'*À bout de souffle*.

Un homme s'était assis sur le canapé et me regardait. Il me sourit. « Vous êtes la jeune fille de *Théorème* ? » me dit-il en français. Je le regardai à mon tour. Il avait une trentaine d'années, il était brun, plutôt beau, sympathique. Sa façon de m'aborder était respectueuse et l'intérêt qu'il me portait paraissait sincère. J'étais contente de rencontrer quelqu'un, engager la conversation me fut agréable.

Nous parlâmes de notre goût commun pour l'Italie et son cinéma. Il me demanda si j'avais des projets de film et je lui annonçai fièrement que j'en avais deux, l'un avec Pasolini et l'autre avec Bertolucci. À l'énoncé du dernier nom, il eut un large sourire. « Je connais très bien Bernardo, je l'aime beaucoup. Au fait, je ne me suis pas présenté : je m'appelle Gato Barbieri, je suis musicien saxophoniste et vous êtes ici chez moi. »

Le lendemain était un samedi et Nedjar avait convaincu Jean-Luc de louer une voiture et de rejoindre par la route Montréal, au Québec, où avait lieu un festival de cinéma politique. Les organisateurs avaient invité Jean-Luc pour participer à un débat prévu le dimanche. Plutôt que de faire un rapide aller-retour en avion dans la même journée, pourquoi ne pas profiter d'autres paysages ? L'idée avait plu à Jean-Luc.

Mais ce samedi matin là, il était de très mauvaise humeur. J'avais eu droit la veille à des remontrances au retour de la fête et de m'entendre joyeusement dire : « Débarquer par hasard chez Gato Barbieri dont j'avais le numéro de téléphone sans oser m'en servir, quelle chance ! Quel incroyable coup de chance ! » avait achevé de le mettre en colère. « C'est bien ce que je pensais : on ne peut pas te laisser seule ! À peine ai-je le dos tourné que tu fais une rencontre ! » Ses paroles marquaient le début d'une crise de jalousie dont j'avais appris à connaître les prémices et j'avais décidé de ne pas en tenir compte et de me coucher. « Crétin ! » lui avais-je dit tendrement avant de sombrer dans un sommeil heureux.

Heureusement, une fois New York loin derrière nous, l'humeur de Jean-Luc s'améliora. Des montagnes suisses de son enfance, il avait gardé un goût profond pour la nature, l'hiver et les paysages enneigés. Nous traversions des forêts qui n'en finissaient pas. De temps à autre une maison en bois, peinte de couleurs vives, avec de la fumée qui s'échappait du toit, nous rappelait que des gens vivaient là, dans ce qui nous apparaissait comme un désert glacé. Car à part quelques rares voitures croisées ici et là, nous n'apercevions aucune trace de civilisation. « Des forêts si bien entretenues ne sont-elles pas l'œuvre des hommes ? » objectait Nedjar, qui conduisait vite et bien et que notre enthousiasme amusait.

Parfois, à notre demande, il arrêtait la voiture et nous descendions au bord de la route. Jean-Luc et moi écoutions respectueusement le silence de la forêt que seul troublait le souffle du vent dans les sapins. Nous respirions l'air glacé à en avoir les larmes aux yeux, tremblant de froid, mais réunis dans une même émotion. Moi aussi, j'avais cet amour de la nature et j'avais vécu enfant, comme lui, des hivers dans la campagne suisse. De retour dans la chaleur de la voiture, plongés chacun dans nos souvenirs, nous n'écoutions guère le bavardage de Nedjar. « Pendant au moins deux ans, j'étais d'un côté du lac et toi de l'autre, lui dis-je. — Mais nous n'avions pas du tout le même âge », ajouta-t-il en me serrant dans ses bras. Nous étions tout à coup très amoureux, heureux d'éprouver en même temps les mêmes sentiments.

Cet état d'euphorie se prolongea toute la soirée. Nous

étions dépaysés par l'accent québécois, par l'hôtel surchauffé et les va-et-vient des clients qui contrastaient avec les heures silencieuses le long des forêts. Le débat auquel devait participer Jean-Luc avait lieu le lendemain en début d'après-midi et nos places étaient déjà réservées dans l'avion du soir. « Pas question de dormir tard. Nous avons une matinée, on va en profiter pour se promener », décréta Nedjar. Nous étions d'accord.

Montréal nous parut être le contraire de New York. Nous marchâmes dans la ville et, malgré les rues transformées en bourbier, les voitures qui circulaient mal dans la neige fondue, Jean-Luc s'y sentit bien. Il en apprécia la diversité architecturale, la jovialité de ses habitants. J'étais gagnée par son enthousiasme.

Plus tard, toujours sous l'autorité de Nedjar, nous sortîmes un peu de la ville. En bordure de la forêt, il y avait un grand champ recouvert de neige. Un homme y louait des Ski-Doo, sortes d'engins qui me firent penser à des autos tamponneuses et qu'on utilisait dans le grand champ. Nous en prîmes deux : l'un pour Nedjar, l'autre pour nous. Je conduisais, Jean-Luc se tenait à l'arrière. Le ciel était dégagé, un soleil d'hiver éclairait la campagne et nous étions seuls.

Seuls à nous amuser comme des enfants. Moi qui ne savais pas conduire, je pris un plaisir fou à la vitesse et aux figures de plus en plus risquées qu'autorisait ce champ de neige. Nedjar et moi faisions la course, sans écouter Jean-Luc qui de temps en temps tentait en vain des « Doucement ! Doucement ! » dans l'espoir de nous faire ralentir.

De cette matinée, il reste un Polaroid pris par Nedjar. On m'y voit mes cheveux roux au vent, dans le long manteau de renard que je portais à cette époque, conduisant d'une main ferme, en riant de plaisir. À l'arrière, Jean-Luc dans son manteau de ville noir sourit, un peu crispé, mais si confiant à ce moment-là, si confiant…

À nouveau dans la voiture, il décréta : « Je voudrais revenir dans ce pays, revenir pour tourner », et à mon intention : « Toi aussi, ça te plairait ? On se sent bien, ici, non ? »

Nedjar applaudit : « Je m'en occupe pendant que tu termines le film avec Penny et Leacock. Trouver des contacts et un peu d'argent ne doit pas être trop compliqué, il y a un coup à faire au Québec ! »

Mi-décembre, nous étions à nouveau au Québec et nous roulions en direction du Grand Nord. À Nedjar, Jean-Luc et moi s'était rajouté un caméraman connu pour ses positions gauchistes, même s'il ne parlait guère. Le projet évoqué un mois auparavant dans l'euphorie d'une matinée passée à faire du Ski-Doo avait pris forme. Il s'agissait d'un film résolument politique qui rendrait compte de la très dure grève des mineurs à Noranda, à la limite de l'Alaska. Jean-Luc souhaitait leur donner la parole, se mettre à leur service. J'interviendrais pour lire des textes, des tracts, cela était encore flou. L'idée de cette expédition au cœur de l'hiver et au bout du monde ne m'avait pas réjouie comme l'avait espéré Jean-Luc, mais le laisser partir seul était impensable, pour moi comme pour lui. J'avais aussi envie de lui faire plaisir : il avait accepté à contrecœur Pasolini et Bertolucci, je pouvais faire l'effort de le suivre, d'être à ses côtés.

Le film avec Penny et Leacock s'était interrompu peu de temps après notre retour à New York. Jean-Luc, qui n'avait rien vu de ce qu'ils avaient tourné, apprit que les rushes ne correspondaient pas à ses indications et cela avait justifié pour lui qu'il abandonne le tournage. Ce qu'il fit aussitôt sans écouter les supplications puis les menaces de ses ex-compères. Maintenant, ils étaient brouillés.

Nedjar et le caméraman se succédaient au volant de la voiture depuis plusieurs heures. Le froid terrible qui nous avait saisis dès la descente d'avion s'accentuait à mesure que nous nous éloignions de Montréal. Le thermomètre indiquait maintenant – 12. Dehors, le vent soufflait sur les forêts recouvertes de neige. Le sol et certains arbres étaient figés par la glace, transformant les bas-côtés de la route en patinoire. Arrêter la voiture pour le seul plaisir de respirer et d'écouter le silence aurait été absurde. Un ciel gris et bas accentuait l'aspect lugubre de cette région désertique. J'étais bien loin de ce que j'avais éprouvé lors du trajet New York – Montréal et je me demandais ce que pensait Jean-Luc. Assis l'un contre l'autre à l'arrière, nous ne nous parlions guère. Je sentais monter en moi un sentiment de détresse, j'aurais aimé qu'il le comprenne et me réconforte.

Il faisait nuit depuis longtemps lorsque nous arrivâmes dans la ville de Noranda. Pour ce que j'en voyais par la fenêtre, elle semblait endormie. L'horloge locale indiquait dix heures et le thermomètre était tombé à – 25. Les habitants étaient calfeutrés chez eux depuis longtemps, volets et rideaux tirés. Dans ce qui semblait être la rue principale, Nedjar gara la voiture devant un hôtel. « C'est le seul de la région », précisa-t-il. Et en nous désignant l'enseigne d'un café, en face : « Et c'est le seul restaurant. On dépose nos bagages et on y va. Je meurs de faim. Pas vous ? »

Le café-restaurant était bondé mais une table avait été réservée à notre intention. Cet unique endroit encore ouvert attirait ceux qui retardaient le moment de rentrer, les solitaires. Tous des ouvriers de la mine, au parler bruyant et qui buvaient sec, comme dans les westerns. C'est à cette vision que je tentais de me raccrocher pour calmer ma détresse. « On est dans un western », dis-je à Jean-Luc. Il me sourit, serra ma main dans la sienne mais ne répondit rien.

Je montai la première dans notre chambre tandis qu'il s'attardait avec les deux autres pour discuter du lendemain. Le contraste entre le froid glacial de l'extérieur et l'atmosphère surchauffée de l'intérieur était surprenant. Passer rapidement de l'un à l'autre m'avait tourné la tête, mais peut-être était-ce la fatigue. De l'autre côté de la fenêtre au double vitrage, la neige s'était mise à tomber dru, brouillant un paysage de toits qu'éclairaient mal les quelques réverbères de la rue principale.

La chambre était petite mais confortable, avec des murs en bois clair, un lit pour deux recouvert d'un épais édredon, une table et deux vieux fauteuils. Je n'étais pas dans un chalet suisse mais je pouvais me l'imaginer et cela m'apaisait.

Jean-Luc me rejoignit et se glissa dans le lit. Lui aussi apprécia la chambre. Il m'apprit que Nedjar avait organisé deux rendez-vous avec des responsables du syndicat des mineurs dans la matinée.

— Toi, tu te reposeras. Nous viendrons te chercher pour déjeuner, en face de l'hôtel. Puis nous irons visiter tous ensemble les locaux de la télévision locale.

— Ils ont une télévision locale, ici ? m'étonnai-je.

— Bien sûr, et qui émet plusieurs heures par jour. Tu te crois toujours dans un western où...

Il ne termina pas sa phrase et s'endormit.

J'avais fait une brève tentative de sortie vers les onze heures du matin, or malgré des sous-vêtements, des pulls, mon manteau de fourrure en renard roux et un gros bonnet en laine, je fis aussitôt marche arrière : il neigeait toujours, le vent soufflait par rafales et la température stagnait à – 23. À l'hôtel, on m'expliqua que cette météo était en accord avec la saison et qu'il ne fallait pas songer à se promener avant le printemps. Le printemps ? Mais au printemps, je serai partie, je tournerai en Italie ! Cela me réconforta et, de retour dans la chambre, je sortis un des nombreux romans de Simenon que j'avais emportés.

Nedjar, le caméraman et Jean-Luc revinrent à l'heure du déjeuner. Ils étaient satisfaits des rencontres de la matinée, Jean-Luc surtout : les syndicalistes étaient intéressés par un travail en commun. « Enfin, une expérience collective », répéta Jean-Luc plusieurs fois.

Il fallut s'engouffrer très vite dans la voiture à cause du vent et du froid. La buée sur les vitres et la tempête à l'extérieur firent que je ne vis rien du paysage. Vite arrivés à destination, on nous déposa devant un immeuble de construction récente : les locaux de la télévision régionale. Des bureaux, des couloirs, une cafétéria et un plateau « remarquablement équipé en matériel vidéo », constata tout de suite Jean-Luc. Un homme affable, le directeur, se présenta et nous souhaita la bienvenue. Il nous fit visiter son domaine et parla longuement de ses responsabilités et des espoirs qu'il mettait dans la collaboration avec Jean-Luc. S'ensuivit une longue discussion entre eux que je n'écoutai que d'une oreille.

Le soir, au dîner, dans le même restaurant et à la même table, Jean-Luc manifesta sa satisfaction. Le directeur et lui étaient tombés d'accord : Jean-Luc tournerait une série de quatre émissions consacrées à la lutte des mineurs en grève et à leur vie privée. S'ajouteraient à leurs interviews des débats et des reportages.

Le lendemain, il accepta d'annoncer en direct à la télévision son programme. « On n'est plus des artistes, martela-t-il, on est des porte-parole, pour amener la Révolution, pour que tout ne se passe pas toujours de la même façon, pour que la télévision appartienne à tout le monde. »

Durant les premiers jours, il multiplia les entretiens et les débats. Son caméraman filmait, un technicien québécois s'occupait du son. Au début je fus présente, et malgré quelques témoignages qui me touchèrent je me lassai vite. Attendre toute la journée Jean-Luc dans ce studio de télévision et n'en sortir que pour les repas dans le même restaurant me déprimaient de plus en plus.

Une photo me montre accablée, assise dans un coin du plateau les coudes sur les genoux, la tête enfoncée dans les mains, mon Pentax que je n'utilisais pas en bandoulière. J'ai l'air d'une gamine sur le point de pleurer et Jean-Luc s'en émut. « Tout le désespoir du monde ! » dit-il et, croyant me faire plaisir : « On va te filmer dehors. C'est joli, cette tempête, non ? Tu vas lire un tract appelant à la poursuite de la grève des mineurs et un court poème de Brecht. » Mais le vent qui soufflait en rafales, la neige et le froid m'enlevèrent aussitôt la possibilité d'articuler le moindre mot. Je me mis à trembler de façon convulsive, les larmes qui coulaient m'empêchaient de distinguer les feuillets que j'avais en main. « Coupez ! » cria Jean-Luc. Une demi-heure après, en dépit de la chaleur du studio et des verres de thé chaud, je tremblais toujours. On me ramena à l'hôtel.

Dans la baignoire, puis dans la chambre douillette, je retrouvai un sentiment de bien-être et pour la première fois, de façon très nette, je pensai que notre présence ici était absurde, qu'il fallait rentrer en France. Moi, de façon certaine, et, me semblait-il, Jean-Luc aussi.

Je ne dis rien mais les jours qui suivirent cette tentative avortée me donnèrent raison. Jean-Luc semblait douter de ce qu'il faisait. Il avait perdu l'enthousiasme du début, devenait morose, renfermé sur lui-même. Seule la nuit nous rapprochait. Le plaisir des corps me faisait oublier tout le reste.

Nedjar s'apprêtait à repartir. Sa grande vitalité s'épuisait à ne rien faire et d'autres projets l'attendaient à Paris. Au dîner, il eut de la peine à dissimuler sa joie. Toutefois, il se permit d'émettre quelques craintes concernant la suite du travail de Jean-Luc avec la télévision locale et Jean-Luc ne fit rien pour le rassurer.

De retour dans notre chambre, nous vîmes par la fenêtre que la tempête avait cessé. Une neige épaisse recouvrait les toits, les étoiles et la lune bientôt pleine se dessinaient très nettes dans le ciel et éclairaient tout le paysage.

— On se croirait dans une carte postale de Noël, murmura Jean-Luc.

Il se tourna vers moi. J'étais en train de me déshabiller.

— Tu es mignonne dans cette tenue, dit-il encore, ne bouge plus et laisse-moi te regarder.

Je fis ce qu'il voulait, un peu surprise. Je ne portais rien d'autre qu'un slip et un débardeur blanc de la marque Petit Bateau.

— Je te filmerais bien t'aventurant gracieusement sur les toits recouverts de neige. Tout ce blanc et tes sous-vêtements, tes jambes et tes bras nus, ce serait…

— Tu es complètement cinglé !

Je bafouillais, cherchais mes mots. J'allais tout lui dire : que j'en avais marre du Grand Nord, marre de cette vie de recluse, et que je rentrais à Paris, mais il me précéda.

— Rentrons.

Nous partîmes comme des voleurs, il n'y a pas d'autres mots pour dire cette fuite, cette désertion. Nedjar, aussitôt prévenu, organisa tout et vingt-quatre heures après nous atterrissions tous les trois à Orly. Peu de mots avaient été échangés entre nous. Il y avait de l'amertume chez Jean-Luc, des remords, peut-être, car il avait abandonné cette « collaboration » avec la télévision régionale de Noranda sans prévenir personne. Nedjar était en pensée dans ses futurs tournages et moi, je dormis la plupart du temps.

La fin de l'année approchait. Ni Jean-Luc ni moi n'aimions cette période dite « des fêtes ». Lui s'affairait à préparer avec Jean-Jock son tournage en Angleterre, auquel je ne participerais pas. Il avait décidé de ne plus signer ses futurs films de son seul nom mais du nom collectif Dziga Vertov. Un collectif constitué de deux personnes me semblait relever du domaine de la plaisanterie ou d'un caprice passager. Je me trompais. « Doit-on t'appeler Jean-Luc ex-Godard ? avait demandé Cournot lors d'un de nos rares rendez-vous. — Bonne idée », avait répliqué Jean-Luc sur un ton sinistre. De le voir s'éloigner aussi clairement de Michel me faisait beaucoup de peine.

Avec Charles, il envisageait un voyage en Jordanie pour se rapprocher de la cause des Palestiniens. Avec moi, c'était encore autre chose. À sa demande, nous étions allés rencontrer Dany Cohn-Bendit chez lui, à Francfort. Ils avaient projeté de réaliser ensemble un « western politique », mais ils parlaient tellement, se coupant sans cesse la parole, que presque rien ne sortit de ce premier entretien. J'avais le sentiment qu'ils ne s'écoutaient pas et n'avaient rien en commun si ce n'est une réelle sympathie l'un pour l'autre. Je me taisais, à la fois impressionnée par Dany et quelques secondes après au bord du fou rire devant la cocasserie de certains de leurs dialogues et l'énorme contraste entre la gaieté de l'un et le sérieux de l'autre.

J'avais beaucoup amusé Rosier et Bambam en leur racontant l'expédition dans le Grand Nord et l'idée qu'avait eue Jean-Luc de me filmer presque nue sur des toits recouverts de neige par – 25. Mais lui s'en voulait. Il considérait cette expérience ratée et la tentative avortée du film avec Penny et Leacock comme des échecs personnels, il avait hâte de prouver qu'il était capable de mener à bien un travail collectif.

Lors d'un dîner rue de Tournon, Rosier nous montra la reproduction d'une esquisse de Delacroix représentant la jeune George Sand de profil. « Elle ressemble beaucoup à Anne », dit-elle. Plus tard et dans le plus grand secret, elle m'apprit qu'elle souhaitait tourner un film sur George Sand et qu'elle me voulait pour le rôle. « Je ne suis qu'au début de mes recherches et je ne sais pas si j'y arriverai, mais ça te tente ? » J'étais enchantée et fière qu'elle puisse m'envisager pour incarner cette femme que j'admirais mais je ne dis rien à Jean-Luc. Confusément, je sentais qu'il n'approuverait pas Rosier de se lancer dans le cinéma et qu'il tenterait de la décourager. Ce projet nouveau et les fréquents appels de Bernardo à propos de « notre film » me faisaient espérer le meilleur pour cette année 1969 qui commençait.

Et qui commença vraiment pour moi en février, en Italie, à Padoue, avec le tournage de *Porcile* qui devait durer une dizaine de jours.

Pier Paolo Pasolini avait conçu son film en deux parties très distinctes. Il avait achevé la première sur le mont Etna, avec Pierre Clémenti. Dans la seconde, outre Jean-Pierre Léaud et moi, il y avait l'actrice espagnole Margarita Lozano, Ugo Tognazzi et le réalisateur Marco Ferreri. L'équipe technique était réduite et nous travaillions vite malgré un hiver particulièrement rigoureux.

J'étais très heureuse, Pasolini aussi, et ce tournage marqua le début d'une grande amitié. Déjà, il évoquait un futur dont je ferais partie car il aimait s'entourer de personnes fidèles qu'il appréciait particulièrement comme Ninetto Davoli et les frères Citti.

Pendant ce temps, Jean-Luc se trouvait en Angleterre avec Jean-Jock pour tourner ce qui s'appellerait *British Sounds*. On se téléphonait tous les jours mais il s'inquiétait, craignant que je ne l'oublie. Je le rassurais comme je le pouvais, mais il est vrai qu'il ne me manquait pas tant j'étais à mon aise sur ce tournage. Grâce à l'affection et à l'estime de cette équipe, je me sentais à nouveau exister et cela me confirmait dans mon désir de devenir actrice.

Un autre metteur en scène que Pasolini s'intéressait à moi : son ami Marco Ferreri. J'avais fini par remarquer qu'il ne me quittait pas des yeux et, même si je n'avais vu aucun de ses films, j'étais flattée. Il me paraissait un peu bizarre, voire inquiétant, mais son intelligence, l'acuité de son regard le rendaient attirant. Il parlait bien le français, avec un fort accent italien.

Le dernier jour, il me prit à part pour me proposer un rôle dans son prochain film qui se tournerait au printemps, en Toscane. Il raconterait la survie d'un couple après une catastrophe atomique et serait interprété par Marcello Mastroianni et Annie Girardot. La planète ayant été dépeuplée, je serais une sorte de messagère chargée de convaincre les rares survivants de se reproduire. C'était vague mais tentant.

Jean-Luc et Jean-Jock ne devaient pas rentrer avant quatre jours à Paris, aussi je décidai de les passer à Rome. Malgré les pluies glaciales et l'aspect sinistre de la ville en hiver, je retrouvai Bernardo, Paola et Gianni avec un grand plaisir. L'adaptation du livre avançait même si aucune date de tournage n'avait encore été fixée.

Sur le point de rentrer dans le café Rosati, un inconnu m'aborda. Il m'expliqua qui il était, « Carmelo Bene, un artiste connu qui révolutionne le théâtre et le cinéma », me traduisit en français un jeune homme qui l'accompagnait. Il ajouta que Carmelo souhaitait que je participe à sa prochaine création, un film commençant dans trois semaines et qui serait constitué de deux histoires. Celle qui me concernait était adaptée de « Suzanne et les vieillards ». J'y interpréterais la jeune fille, nue d'un bout à l'autre, entourée de vieillards libidineux.

Après un bref moment de surprise, je lui dis que je refusais catégoriquement de tourner nue. Il insista et Bernardo, qui m'accompagnait et qui jusque-là n'avait rien dit, s'interposa : « Laissez-nous tranquilles. Quand elle vous dit non, c'est non. » Ces deux hommes, qui ne s'étaient même pas salués, visiblement ne s'aimaient pas.

Carmelo Bene devenant agressif, Bernardo m'entraîna à l'intérieur du café. « Même si certains lui trouvent du génie, c'est aussi un fou alcoolique et violent. Tu n'as rien à faire avec lui. »

Une heure après, alors que nous quittions Rosati en compagnie de Moravia qui nous avait rejoints, Carmelo Bene, que nous avions vu s'éloigner, était de retour. Ignorant délibérément les deux hommes qui m'entouraient, il s'adressa à moi avec autorité, toujours traduit par son interprète qui avait du mal à le suivre tant il parlait vite :

— J'ai téléphoné à ma femme, elle accepte que vous échangiez vos rôles. Ce sera elle qui jouera Suzanne et vous Manon Lescaut. Mon autre histoire raconte le suicide de Manon et du chevalier Des Grieux dans un cimetière de voitures en feu. Je serai Des Grieux, donc devant et derrière la caméra en même temps.

— Elle vous a dit non, intervint à nouveau Bernardo.

Carmelo Bene eut pour lui un regard méprisant.

— J'ai eu le temps de contacter votre agent pendant que vous perdiez le vôtre avec ces intellectuels bon ton. Je sais que vous rentrez demain à Paris, j'ai votre numéro de téléphone et je vous laisse quarante-huit heures pour vous décider.

Il me serra la main.

— Encore un détail : vous serez habillée d'un bout à l'autre. Cette longue robe rose en lainage que vous portez sous votre manteau en fourrure me plaît beaucoup : ce sera votre costume.

Et il disparut dans la foule de la piazza del Popolo. Malgré son haleine chargée de vodka, c'était un bel homme qui dégageait une grande force. Sa conviction, son assurance et le mépris dans lequel il semblait tenir la terre entière m'avaient troublée et, je l'avoue, séduite.

— Tu ne vas pas accepter ? demanda Bernardo avec inquiétude.

— Tu ne vas pas accepter ? demanda en écho Jean-Luc, le lendemain soir.

Il était venu me chercher à Orly, quelques heures auparavant. « Tu aurais pu nous rejoindre en Angleterre au lieu d'aller à Rome, avait-il dit d'emblée. — Tu sais bien, je ne parle pas anglais ! » La mauvaise foi de ma réponse l'avait fait sourire et il m'avait serrée contre lui. « Tu m'as manqué ! — Toi aussi ! » Ouf, réconciliés ! Mais, par prudence, j'avais retardé le moment de lui parler de Marco Ferreri et de Carmelo Bene, et lui avais raconté comment Pasolini avait affronté seul un amphithéâtre plein d'étudiants d'extrême droite, dans une ambiance de lynchage. Les frères Citti et moi qui l'accompagnions avions eu peur pour lui, mais lui pas une seconde. « J'ai toujours admiré son courage... », avait admis Jean-Luc rêveur. Du tournage avec Jean-Jock, il ne m'avait pas dit grand-chose.

De retour à l'appartement, je le laissai passer quelques coups de téléphone, en donnai moi-même. Il avait été convenu que nous dînerions avec Rosier et Bambam au Balzar et ce n'est qu'à ce moment-là, alors que nous nous apprêtions à les rejoindre, que j'osai aborder le sujet.

Je commençai par la proposition de Marco Ferreri : « Un tout petit rôle, une participation comme on dit. » Il grimaça de contrariété, voulut répondre mais je ne lui en laissai pas le temps et enchaînai avec Carmelo Bene.

— Tu ne vas pas accepter ?

Et avec un début de panique :

— Mais comment l'as-tu rencontré ?

Je le lui racontai. D'entendre que j'avais immédiatement et fermement refusé de tourner nue le rassura en partie. Malgré le froid intense qui sévissait aussi à Paris, nous restions sur le trottoir, devant la brasserie, à discuter du choix à faire. C'était évident qu'il souhaitait que je refuse et que je reste à ses côtés, or l'esprit nouveau de mai l'empêchait de l'exiger.

— Tu es libre, dit-il avec regret.

Et comme je l'embrassai fougueusement, heureuse et soulagée de son accord, il ajouta :

— Je suis obligé d'admettre que Carmelo Bene est inclassable, que son cinéma n'a rien à voir avec ce qui se tourne en général, qu'il cherche un langage. J'ai vu quelque part en Italie, lors d'un festival, Pesaro peut-être, son premier long métrage, *Notre-Dame des Turcs*, très étrange, intéressant. Cournot, qui était avec moi, pense même que c'est un génie, il en a fait une critique enthousiaste.

Le lendemain matin, alors que je buvais dans notre lit le deuxième bol de Nescafé qu'il m'avait servi, le téléphone sonna. Il décrocha de son bureau et m'appela sur un ton rogue.

— Ferreri, pour toi.

Je pris l'autre poste en remarquant aussitôt que Jean-Luc n'avait pas raccroché le sien. Quelle importance qu'il écoute notre conversation ?

Marco Ferreri avait changé l'optique de son film. Il pensait que son couple de survivants serait plus émouvant s'il était interprété par des jeunes gens, il me désirait pour le rôle principal. Mon partenaire n'avait pas encore été trouvé, Annie Girardot jouerait la messagère, « Marcello », comme il disait, ne figurait plus au programme. « J'ai écrit pour toi un synopsis qui te parviendra en fin de journée, tu comprendras mieux. Je te rappelle demain. Le tournage commencera mi-avril et se terminera en juin. Ciao. »

J'étais abasourdie et Jean-Luc, qui m'avait rejointe, encore plus.

— Tu ne vas pas disparaître deux mois ?

Et comme je ne savais pas quoi répondre :

— Tu ne vas pas m'abandonner si longtemps ? Toi en Italie et moi en Tchécoslovaquie... C'est absurde !

Il me prit dans ses bras et me serra contre lui. J'étais en proie à des sentiments complètement contradictoires où se mêlaient la fierté d'être choisie pour un premier rôle, le vertige devant les propositions qui s'enchaînaient, la peur de ne pas être à la hauteur et celle de me séparer de Jean-Luc, de vivre loin de lui, privée de lui.

Le courrier annoncé arriva en fin de journée. Nous lûmes ensemble les cinq pages qui constituaient le synopsis. Arrivé à la dernière, Jean-Luc explosa de rire. J'avais baissé la tête, furieuse et humiliée. Car si l'histoire correspondait bien à ce que m'en avait raconté Marco Ferreri, un nouveau détail changeait tout : la jeune femme qu'il me proposait d'incarner était nue durant les trois quarts du film.

— Eh bien, voilà qui règle la question, dit Jean-Luc gaiement. Car tu vas refuser bien entendu ?

— Bien entendu.

J'avais répondu avec fermeté mais j'avais du mal à dissimuler ma déception. Dans une note rajoutée à la fin, Marco Ferreri prévenait qu'il m'appellerait le lendemain matin pour connaître ma réponse. Je n'avais plus aucune envie de lui parler. Je me tournai vers Jean-Luc.

— Tu pourrais lui répondre à ma place ? Lui dire non de notre part à nous deux ?

— Et comment, avec joie ! Mais qu'est-ce qu'ils ont tous ces vicieux de cinéastes à vouloir déshabiller ma femme ?

Quand Ferreri appela, j'étais aux côtés de Jean-Luc et je tenais l'écouteur. Visiblement ce dernier jubilait. En parfait comédien, il se fit très poli, presque mondain, pour dire que « non, sa femme ne souhaitait pas tourner nue ». L'immense respect qu'il feignait d'éprouver envers son interlocuteur ne pouvait tromper un homme aussi malin que Ferreri. Aussi répliqua-t-il sur le même ton qu'il ne renonçait pas et qu'il trouverait une solution. « Je ne vois vraiment pas comment », dit Jean-Luc. Ils se quittèrent en faisant assaut de courtoisie. « Ouf, bon débarras ! » fut son seul commentaire. Et il me laissa pour se rendre à une réunion qui se tenait aux Beaux-Arts, content de lui et déjà dans d'autres pensées.

J'étais songeuse. Ferreri avait dit qu'il ne renonçait pas et qu'il trouverait une solution. Bizarrement, j'y croyais.

Et je ne me trompais pas.

Deux jours après, il rappela et s'entretint directement avec Jean-Luc. Il s'exprimait avec la même excessive courtoisie que Jean-Luc la fois précédente, c'était lui maintenant qui menait le jeu. La jeune femme que je devais interpréter serait habillée et changerait constamment de costume. Le couple en s'échouant sur la plage trouverait dans la maison abandonnée une malle de beaux vêtements féminins que la jeune femme se plairait à porter. Son compagnon, par contre, choisirait de vivre nu, en parfait sauvage.

Jean-Luc était si déconcerté qu'il en avait perdu tout son sens de la repartie. « Je vais en parler à ma femme », se contenta-t-il de dire avant de raccrocher. Puis, se tournant vers moi : « Merde, alors. Tu ne vas pas accepter ? »

J'acceptai.

Ce ne fut pas facile.

Jean-Luc ne pouvait pas me l'interdire, il tenta par tous les moyens de m'en dissuader. Certains de nos amis, à qui il n'avait pourtant rien demandé, crurent bon de lui venir en aide. Ainsi Jean-Pierre Léaud, rencontré par hasard dans un café du boulevard du Montparnasse, et qui s'indigna : « Après les films que tu as faits, tu ne vas pas t'abaisser à tourner avec Marco Ferreri ! » Ses goûts en matière de cinéma se réduisaient, à ce moment-là de sa vie, à quelques metteurs en scène et excluaient tous les autres. Et comme j'essayais de me défendre : « Imagine que tu meures pendant le tournage : les dernières images de toi que nous aurons seront celles de ce film. Quelle honte ! »

Rue Saint-Jacques, l'ambiance était tendue. Jean-Luc faisait des va-et-vient entre le montage de *British Sounds* et la maison où je me morfondais. Je ne pouvais pas lui confier à quel point j'avais peur de partir loin de lui, il en aurait profité. Apprenant au détour d'une conversation que sa banque lui reprochait de multiplier les découverts, je crus judicieux de lui rappeler que j'allais gagner de l'argent en Italie. Je pensais même avec une certaine inconscience que si nos chemins professionnels se séparaient un moment, cela renforcerait nos liens et qu'il était sain que je devienne un peu plus indépendante, un peu plus libre. Jean-Jock, présent, m'approuvait. En même temps il s'étonnait que je ne veuille pas faire partie du groupe Dziga Vertov et que je préfère aller tourner en Toscane plutôt que de les suivre en Tchécoslovaquie. Il avait une nouvelle assurance, il me parla longuement du mouvement des lycéens qui prenait de l'ampleur et de l'agitation politique au sein de plusieurs usines. Puis il me reprocha mon manque d'engagement : « Il n'y a pas que le cinéma, dans la vie, regarde un peu plus autour de toi. »

Peu de temps avant mon départ pour Rome, Rosier nous invita à dîner chez elle avec Cournot. Cela faisait longtemps que nous ne nous étions pas retrouvés tous les cinq ensemble et je m'en réjouissais. Jean-Luc s'était contenté d'un vague : « Si ça peut te faire plaisir... » Il semblait ailleurs et n'écoutait que distraitement nos conversations.

C'était surtout Rosier qui parlait. Elle sautait d'un sujet à l'autre avec une bonne humeur un peu forcée. Je lui avais dit que Carmelo Bene souhaitait que je porte la robe en lainage rose qu'elle avait créée pour moi et elle s'était déclarée « flattée ». Elle m'avait alors appris qu'elle avait habillé Audrey Hepburn dans un film de Stanley Donen que Jean-Luc et moi avions vu et beaucoup aimé : *Voyage à deux*.

Le repas touchait à sa fin et nous traînions à table quand elle évoqua mes deux tournages en Italie et celui de Jean-Jock et Jean-Luc en Tchécoslovaquie. Dans son désir constant d'animer la conversation, il lui arrivait de faire des gaffes, ce que lui reprochait ensuite vertement Bambam. Ainsi nous demanda-t-elle à Jean-Luc et à moi :

— Vous n'avez jamais été séparés aussi longtemps. Ce n'est pas trop angoissant, trop douloureux ?

— Si, répondit Jean-Luc en s'assombrissant encore davantage.

— Si, répétai-je.

Soudain, Cournot, qui n'avait encore rien dit, s'adressa à moi.

— Que tu travailles avec Carmelo Bene qui est un génie pendant une semaine, bien. Mais que tu perdes ton temps avec Pasolini et Ferreri, j'ai du mal à l'avaler.

Rosier s'interposa avec fougue.

— C'est très bien qu'Anne travaille. Que voulez-vous qu'elle fasse d'autre ?

— Qu'elle se tienne auprès de Jean-Luc ex-Godard, en Tchécoslovaquie ou ailleurs. La place d'une épouse aimante est auprès de son mari. Sinon, c'est la porte ouverte à n'importe quoi.

Il y eut un silence stupéfait que Rosier, sincèrement indignée, brisa.

— Vous parlez comme le dernier des réacs !

— Mais Cournot est un réac !

Jean-Luc s'était exprimé d'une voix ferme, on aurait dit qu'il avait retrouvé un peu de son entrain. Il se lança ensuite dans un discours féministe pour défendre la liberté et l'égalité de toutes les femmes, à commencer par la sienne, au travail comme en amour. Rosier l'approuvait tandis que Bambam commençait à geindre : son dos le faisait souffrir, il devait aller s'allonger.

— Foutaises, conneries, grognait de temps en temps Cournot.

Jean-Luc poursuivait son discours, mélange de toutes les idées en vogue depuis le mois de mai. Avec son ton de maître d'école, il nous récita la leçon du parfait militant révolutionnaire. Son apparente bonne foi me faisait un peu pitié. S'il croyait en théorie à ce qu'il disait, je n'étais pas sûre qu'il soit capable de l'appliquer avec moi, dans notre vie quotidienne. Je ne me doutais pas à quel point.

La journée de travail s'achevait comme elle avait commencé : en douceur, paresseusement. Les machinistes rentraient le matériel pour la nuit dans la maison où nous tournions l'essentiel des scènes d'intérieur. Je montais à l'étage dans la chambre réservée au maquillage pour me débarrasser au plus vite du fond de teint, du mascara et du rouge à lèvres. Cela désolait Chico, notre maquilleur, qui jour après jour se plaisait à me transformer, selon ses dires, en héroïne « tellement plus féminine, tellement plus désirable » que je ne l'étais quand j'arrivais le matin, encore somnolente. Il me reprochait affectueusement ce qu'il appelait mon côté *acqua e sapone*. Notre metteur en scène, Marco Ferreri, l'approuvait et veillait avec un soin maniaque aux nombreux vêtements que je devais porter, les miens parfois, mais surtout ceux qu'avait dénichés la costumière Lina Taviani. Tous deux venaient de tomber d'accord : je porterais le lendemain la longue robe en tricot rose, qu'avait imaginée pour moi Michèle Rosier et que j'avais déjà portée quelques semaines auparavant dans le film de Carmelo Bene.

Il seme dell'uomo avait commencé mi-avril, nous étions à

la veille du week-end férié du 1er mai et tout se passait au mieux au sein de notre équipe. Nous habitions tous ensemble dans un hôtel confortable, nous tournions sur une immense plage déserte et dans la seule maison qui s'y trouvait. Marco Ferreri ne respectait pas le plan de travail car il improvisait tout le temps, au gré de ses humeurs et de ce que nous lui inspirions, mon partenaire et moi. J'avais été à bonne école avec mes précédents metteurs en scène, j'étais donc souple, disponible, il me suffisait de lui faire confiance : si je ne comprenais pas toujours dans quel sens allait son film, lui, pensais-je, le savait.

Dans la voiture qui nous ramenait à l'hôtel, Marco Ferreri me demandait des nouvelles de celui qu'il n'appelait jamais par son prénom mais toujours « ton mari » ou « Godard ». Il avait été question qu'il nous rejoigne pour le week-end, une décision avait-elle été prise ? Quand je lui annonçai que je n'avais pas eu un seul coup de téléphone depuis plus de quarante-huit heures, il me rappela les difficultés des liaisons entre l'Italie et la Tchécoslovaquie et passa à autre chose après avoir conclu : « C'est normal, ne t'inquiète pas. »

Inquiète, je ne l'étais pas. Pas encore, du moins. Jean-Luc n'obtenait ses communications que tard dans la nuit, sans doute un message écrit m'attendait-il à l'hôtel.

Il n'y avait aucune lettre, aucun télégramme. Chacun s'en retourna dans sa chambre pour prendre une douche avant le dîner.

Je passai une agréable soirée en compagnie de Marco Ferreri, Lina Taviani, le directeur de la photo, Mario Vulpiani, et la première assistante, Joya. Cette dernière avait exactement mon âge et nous étions très complices, « des gamines » comme le disaient avec compréhension nos aînés. Elle était jolie, efficace dans son travail et toujours prête à s'amuser. Un rien la faisait rire et, dans mes rares moments de mélancolie, c'est vers elle que je me retournais. De me savoir mariée à un homme célèbre qui avait dix-sept ans de plus que moi la divertissait beaucoup. « Il n'est pas un peu vieux ? demandait-elle quand nous avions forcé sur le chianti. — Mais non. — Et tu n'es pas attirée par des gens de notre âge ? — Non. » Un dernier verre et elle m'expliquait comment elle envisageait sa propre vie : « Jusqu'à trente ans, je veux être libre d'aimer qui je veux, quand je veux, être libre, libre comme ne l'ont jamais été nos mères… Après, je veux bien me marier, avoir des enfants, rejoindre la tradition. » Mai 1968 avait gravé cette exigence dans beaucoup de cœurs, s'en réclamer un an après était presque devenu un lieu commun. Je tentais de lui expliquer que, pour moi, l'apprentissage exaltant de la liberté avait commencé lors du tournage de mon premier film, *Au hasard Balthazar* de Robert Bresson. Mon mariage avec Jean-Luc et les événements de mai 1968 n'avaient fait que le confirmer. Je me voulais libre.

Je dormais depuis longtemps quand la sonnerie du téléphone me réveilla. C'était Jean-Luc qui d'une voix oppressée me demanda pourquoi j'étais rentrée si tard, qu'est-ce que j'avais fait, avec qui j'étais. Il avait le souffle court, il parlait très bas et je ne comprenais pas tout dans ce flot de questions. Alors il m'annonça qu'il serait à mon hôtel le lendemain en fin de journée et que « nous nous expliquerions ». Puis, devinant que j'étais en train de me rendormir, il raccrocha.

Le lendemain, en effet, quand je regagnai l'hôtel avec Marco Ferreri et son équipe, le portier m'annonça que mon mari était arrivé et m'attendait dans ma chambre. « Dis-lui qu'il est le bienvenu à notre table. Mais je suppose que vous préférez un tête-à-tête en amoureux et dans ce cas nous serons très discrets », dit Marco Ferreri avec un sourire malicieux et quelque chose en plus qui donnait souvent l'impression qu'il se moquait de vous.

Au premier coup d'œil, je compris que Jean-Luc allait mal, qu'il y avait du drame dans l'air. Il n'était pas rasé, son teint était cireux, ses vêtements chiffonnés. Il avait l'air d'un clochard qui ne se serait pas lavé ni reposé depuis plusieurs jours. La pièce empestait les cigarettes Boyards maïs et je m'empressai d'ouvrir en grand la porte-fenêtre qui donnait sur le jardin.

— Qu'est-ce qu'il y a ?

Il ne répondit pas, se contentant de me regarder avec une hostilité telle que je me mis en colère.

— Pourquoi venir me voir si c'est pour me faire la gueule ? Qu'est-ce que j'ai fait ?

J'avais failli ajouter « pour mériter ça ». La journée de travail avait été très productive, j'avais su proposer à Marco Ferreri plus que ce qu'il m'avait demandé, c'était comme si la perspective de retrouver Jean-Luc m'avait donné des ailes.

Parce que son silence durait, je devinais qu'il souffrait et que cela devait avoir un rapport avec moi.

— Qu'est-ce qu'il y a ?

Ma voix s'était adoucie, je m'assis à côté de lui et le pris dans mes bras. J'embrassais ses yeux, ses joues pas rasées, ses lèvres.

— Qu'est-ce qu'il y a ?

Son corps enfin se détendit et il put me répondre. « Il y avait » que depuis trois nuits il appelait ma chambre et que le portier à chaque tentative lui affirmait que je ne m'y trouvais pas.

— Ce n'est que ça !

En vivant avec lui j'avais découvert un versant sombre de sa personnalité, la possibilité de devenir tout à coup, à propos de rien, jaloux. Chaque fois cela s'était révélé absurde et après des explications de ma part, des mises au point pour « prouver mon innocence », tout rentrait dans l'ordre. Je pensais qu'il en serait de même cette fois-là. Je lui promis que j'avais passé toutes mes nuits sagement dans ma chambre et lui proposai d'aller interroger le portier, de mener l'enquête et pourquoi pas de porter plainte. D'abord il nous fallait aller dîner et nous raconter ce que nous avions fait chacun de notre côté, durant toutes ces semaines.

— Et prends une douche, rase-toi et change de vêtements !

Je ne voulais pas que mes amis italiens le voient dans cet état lamentable. Qu'aurait pensé Joya ?

La conversation, durant le dîner, se révéla laborieuse. Jean-Luc écoutait à peine ce que je lui disais et demeurait muet sur le film tourné en Tchécoslovaquie, qui ne s'appelait pas encore *Pravda*. Quelques mètres plus loin, une bruyante gaieté régnait à la table de Marco Ferreri. Chacun évoquait les visites qu'il s'attendait à recevoir lors de ce week-end férié, les excursions dans les îles ou dans l'arrière-pays. Personne n'avait paru se formaliser que Jean-Luc ne réponde pas à leur salut.

De retour dans la chambre, ce fut pire. Repris par son idée fixe, Jean-Luc entreprit à nouveau de m'interroger sur ce que j'avais fait les nuits précédentes. Il ne croyait pas qu'un portier ait pu se tromper trois fois de suite, je lui avais donc menti. Il était prêt à admettre que je n'avais peut-être fait que m'amuser dans les boîtes de la côte, mais en compagnie de qui ? Pourquoi est-ce que je m'obstinais à nier alors que j'avais le pouvoir de l'apaiser en lui disant tout simplement la vérité ? Et plus je lui jurais n'avoir jamais quitté ma chambre, plus ses soupçons se transformaient en certitudes. Il trouvait dans mon obstination la preuve même de ma culpabilité. Entre nous le ton montait. Au début patiente, je devenais exaspérée, agressive, méchante. De toutes les façons ce que je disais, ce que j'éprouvais n'avait aucune prise sur lui, il était décidé à veiller autant qu'il le fallait pour obtenir ce qu'il appelait mes « aveux ».

Quand je compris que rien ne pourrait le détourner de son idée fixe, que malgré sa fatigue et la mienne nous allions y passer la nuit, j'avalai devant lui deux comprimés d'Imménoctal.

Le soleil illuminait ma chambre quand je me réveillai. Par la porte-fenêtre demeurée ouverte me parvinrent les sons familiers de l'hôtel : bribes de conversations dans le jardin, quelques rires et des voix aiguës d'enfants, une chanson d'Adriano Celentano que diffusait sans cesse la radio italienne cette année-là, *Azzurro*. Ma montre indiquait midi, il était temps de se lever, et je secouai Jean-Luc endormi tout habillé à mes côtés.

Je le secouai plusieurs fois et de plus en plus violemment avant d'apercevoir la boîte d'Imménoctal vide sur la table de nuit.

Alors je compris et demeurai horrifiée quelques secondes à le contempler. Était-il mort ? Vivait-il ? Il me sembla qu'il respirait. Mais si faiblement que peut-être je me trompais, et cela me décida à réagir, à trouver au plus vite du secours.

Dans le couloir, je me heurtai à Mario Vulpiani dont la chambre était voisine de la mienne. À me voir encore en pyjama et à mon air affolé, il comprit aussitôt que quelque chose de grave était arrivé et me suivit immédiatement.

Il se pencha sur le corps inerte de Jean-Luc, regarda la boîte de somnifères vide et à voix basse, avec une autorité que je ne lui connaissais pas : « Il a de la chance, un de mes amis, médecin, est venu pour déjeuner avec moi. Je cours le chercher car il faut faire vite, c'est peut-être déjà trop tard. » Et après un bref regard sévère sur moi qui avais commencé à pleurer : « Reprends-toi, habille-toi, et surtout ferme ta porte : l'hôtel grouille de journalistes venus interviewer Marco Ferreri. »

Des heures s'étaient déjà écoulées et Jean-Luc, s'il respirait, ne se réveillait pas. Son état inquiétait beaucoup l'ami de Mario Vulpiani qui avait tenté à plusieurs reprises et de plusieurs façons de le réanimer. Il avait aussi improvisé un goutte-à-goutte.

C'était un jeune médecin aux prises avec son premier suicide. Effrayé par cette responsabilité, il avait d'abord voulu le faire transférer dans le service des urgences de l'hôpital le plus proche. Mais Mario Vulpiani avait su le convaincre : avec tous les journalistes éparpillés dans l'hôtel, cela ne pourrait jamais passer inaperçu et ce serait la ruée autour de l'ambulance, à l'hôpital. Quelle aubaine pour eux ! Jean-Luc et moi avions l'habitude de les fuir, alors de surprendre le célèbre cinéaste entre la vie et la mort après s'être suicidé chez sa jeune femme, actrice principale du film du tout aussi célèbre cinéaste Marco

Ferreri... Le scandale serait retentissant, attirerait une foule de paparazzis, nuirait ensuite à la reprise du tournage d'*Il seme dell'uomo*. Mario Vulpiani agissait autant par humanité que pour protéger ce film auquel il croyait beaucoup. Dans ce but, il avait tout de suite fermé les volets de la porte-fenêtre et fait courir le bruit que Jean-Luc et moi avions quitté l'hôtel pour un week-end « en amoureux ».

Je passai l'après-midi prostrée dans la semi-obscurité de la chambre, pleurant par à-coups, sans quitter Jean-Luc des yeux. Le jeune médecin demeurait présent, guettant inlassablement un retour à la vie. Parfois, il se retournait vers moi : « Son état reste stationnaire », et devant mes larmes qui recommençaient à couler : « Cela veut dire aussi que son état ne s'aggrave pas. » Je le devinais ému par ma détresse, cherchant comment il pourrait me consoler, me rassurer. Dans son désir de sauver Jean-Luc, il y avait aussi celui de mettre un terme à ma souffrance. C'était un homme sensible et tendre.

L'attitude de Mario Vulpiani était différente. Pour donner le change au reste de l'équipe demeurée à l'hôtel et qui ne se doutait de rien, il ne faisait que de rares passages dans la chambre. Il était de plus en plus tendu et disait « ne pas comprendre qu'un couple en arrive là ». Quand, en pleurs, j'essayais de lui expliquer le pourquoi du geste insensé de Jean-Luc et mon innocence, il m'interrompait tout de suite : « Ses raisons, les tiennes ne m'importent guère. » Sa sévérité à mon égard achevait de me briser. Jusque-là, il appréciait mon travail et m'aimait bien. Maintenant, il se dressait en juge.

Nous en étions là quand Jean-Luc se mit soudain à s'agiter et à articuler quelques mots incompréhensibles. Penché sur lui, le jeune médecin le secoua doucement. Il lui parlait en italien et je comprenais qu'il le suppliait de revenir parmi nous, de s'accrocher à la vie. Jean-Luc, en réponse, commença à se débattre, à geindre. Le médecin se tourna vers moi : « Je crois qu'il vous appelle. » Il me céda sa place, je posai mes mains sur ses épaules et me mis à mon tour à lui parler, à lui répéter en français ce que lui avait dit le médecin. Jean-Luc ouvrit grand les yeux, murmura très nettement : « Mon amour », ébaucha un sourire et se rendormit.

« Il est sauvé ! » exulta le médecin. Et, comme emportée par l'émotion, je m'étais remise à pleurer. « Ne craignez plus rien, tout ira bien, maintenant. » Il irradiait de fierté et de joie.

Mario Vulpiani mit fin à ces effusions. Son ami avait passé toute la journée dans la chambre, il souhaitait l'emmener dîner et me laisser seule avec Jean-Luc. « Mais le goutte-à-goutte... », protesta le médecin. Mario Vulpiani me tendit la poche contenant le précieux liquide. Il me montra comment la tenir, le bras tendu, debout près du lit, de façon que les gouttes s'écoulent bien dans la veine de Jean-Luc. « C'est à toi d'agir, maintenant, on repassera te voir dans la soirée », dit-il après une petite tape amicale sur l'épaule.

La porte se referma sur eux et je vis le regard attendri de Jean-Luc. « Merci, chuchota-t-il d'une voix faible, je sais maintenant à quel point tu m'aimes et que j'ai eu tort d'en douter. » Et il se rendormit, apaisé.

J'étais si épuisée que je ne pouvais que le regarder avec incompréhension et colère. Il venait de m'être fait une violence que je trouvais et trouverai longtemps encore intolérable. Nous ne le savions pas, mais il y aurait désormais un avant et un après cet horrible week-end férié de mai 1969.

À nos chemins professionnels qui avaient déjà commencé à se séparer allait lentement s'ajouter une conception différente de la vie, de l'amour et de la mort. Notre séparation définitive prit plus d'un an, presque deux. Cela fut extrêmement douloureux pour lui comme pour moi, même si l'initiative semble me revenir. La fin malheureuse de notre histoire devint banale et privée, je cessai d'être un témoin privilégié de l'époque. Je ne l'écrirai pas.